Cuisiner comme un chef à Paris

Corinne **Crolot**

PARIGRAMME

– MENU –

Remerciements

À Sandrine pour ses adresses tendance et ses repères branchés.
À Stéphane pour ses descriptions minutieuses et savoureuses (et à Sylvie
pour son coaching indéfectible).
À Paula et Didi pour leurs adresses préférées… et leur aide !
À Émilie pour son soutien hebdomadaire autour d'un bon sushi.
Et à tous les «profs de cuisine» qui m'ont tous si gentiment accueillie au sein
de leurs ateliers, véritables moments de découverte et de plaisir.
Merci également à tous ceux qui ont bien voulu me faire partager un peu de leurs
saveurs livrées à domicile, et à tous les passionnés qui m'ont reçue dans leurs repaires
gourmands.

Collection dirigée par Jean-Christophe Napias et Sandrine Gulbenkian

© 2002 éditions Parigramme/Compagnie parisienne du livre

À ma mère, qui m'a transmis le goût des bonnes choses
et le plaisir de cuisiner pour ceux qu'on aime.

À Bruno, Milan et Lena.

Mise en bouche

Cuisiner comme un chef : tout un programme pour les Parisiens pressés, stressés... Paris, capitale trois étoiles, berceau et temple de la gastronomie, ville d'expérimentations culinaires, regorge d'artisans de haut vol, de boutiques gourmandes, de traiteurs malins. Les cuisines du monde, même les plus surprenantes s'y laissent goûter, et les curieux de saveurs ne manquent pas d'y puiser quelques sources d'inspiration pour leurs recettes... Mais prendre le temps de faire les courses, de mitonner quelques bons petits plats n'est pas donné à tous. Alors, quand les Parisiens se mettent aux fourneaux, c'est que l'occasion en vaut la peine !

Un cuisinier méthodique saura régaler ses convives d'un repas pensé bien à l'avance ; un autre plus paresseux ou débordé encore n'hésitera pas à se faire livrer de bons repas ou à faire appel à des cuisiniers à domicile ; les plus passionnés iront prendre des cours pour vous faire ensuite goûter fièrement des mets compliqués ou subtils.

Ensuite, on installera une jolie table, bien dressée, quelques pétales de fleurs, de jolies serviettes, une nappe originale : c'est tout le plaisir de recevoir que de le faire en beauté.

La cuisine, art du bonheur, est maintenant accessible à tous les Parisiens. Alors, à vos fourneaux !

Le signe ♥ figurant à la suite
d'une enseigne témoigne d'un coup de cœur de l'auteur.

1

Cuisiner (vraiment) comme un chef

Les meilleurs cours de cuisine

écoutent ses conseils, posent des questions, s'essayent à leur tour. Rien n'est laissé au hasard : maîtrise des températures de cuisson, pesée au gramme près des ingrédients pour la pâtisserie, trucs de congélation... Laurence passe tout en revue. Au programme, de savoureux menus concoctés suivant les saisons : tarte chèvre et poireaux, velouté de courgettes à l'estragon, souris d'agneau au safran et sa garniture du Sud, petits farcis provençaux, tajine de poulet aux citrons et aux raisins, gâteau de carottes fondantes au cerfeuil, tarte aux figues crème amandine, quetsches rôties et gratin de fromage blanc en bavarois... Tout n'est que goût, saveur et voluptés ! Les produits utilisés sont de première fraîcheur et dénichés le plus souvent chez les meilleurs artisans de la capitale. Les élèves, pour la plupart parisiens, semblent ravis de la formule et certains même trouvent dans ces cours un moyen de soigner leurs bleus à l'âme : la cuisine comme thérapie, quelle heureuse idée ! Des cours à s'offrir (ou à offrir) sans modération.

■ Les cours ont lieu le mardi, mercredi, jeudi et vendredi de 13h à 16h et le samedi de 10h à 14h. L'école est fermée pendant toutes les vacances scolaires. ■■ 1 cours : 68 €, forfait de 5 cours de trois heures en semaine : 308 € et 84 € le samedi (cours de quatre heures).

La cuisine au whisky

Avis à tous les amateurs de whisky qui souhaitent mijoter de bons petits plats à base de cet alcool : rendez-vous deux fois par mois chez Laurence Guarneri (voir adresse ci-dessus) pour des cours dont l'originalité ne manquera pas de vous surprendre. Grâce à Martine Nouet, journaliste culinaire réputée, passionnée par le whisky, vous saurez tous les secrets de recettes telles que figues rôties au pain d'épices, sauce au foie gras et au whisky ; noix de saint-jacques poêlées au whisky et leur gratin de topinambours ; moelleux au chocolat et sa sauce arabica au whisky... pour ne citer qu'eux.

Renseignements auprès de Martine Nouet. Tél. et fax 01 39 15 38 65 et 06 11 98 12 13. E-mail : nouetram@easynet.fr

■ Cours de trois heures, de 19h à 22h. ■■ 1 cours : 79 €, dîner inclus ; 5 cours : 358 €, six participants au maximum par cours.

Cours de cuisine La Cornue

18, rue Mabillon, 6e. Tél. 01 46 33 84 74. M° Mabillon.
Internet : *www.la-cornue.com*

Masterclasses. La pratique culinaire est ici revue et corrigée par
La Cornue, célèbre maison renommée pour ses cuisinières haut de
gamme. Du beau et du bon au menu de ces cours dispensés par
plusieurs cuisiniers renommés. Les huit heureux élèves cuisinent
tout sur place, dans le magasin de la rue Mabillon, avec le matériel et les cuisinières de la maison. La déco soignée, les beaux
meubles en bois chiné donnent au lieu une atmosphère particulièrement intimiste et chaleureuse. Les plats sont raffinés, et, selon
le thème du jour, le chef Jean-Claude Hey (président de la Société
des cuisiniers français) vous apprend à les mitonner : soufflés salés
et sucrés, feuilletés, poissons et leur garniture, mousses de toutes
façons et de toutes couleurs... Attention à réserver vos places bien
à l'avance, car la formule connaît un franc succès.
■ Cours pour adultes débutants ou expérimentés, deux jeudis par
mois, de 11h30 à 14h30, déjeuner sur place inclus dans le forfait.
■■ 1 cours : 70 €.

La Cuisine de Marie-Blanche

*18, avenue de La Motte-Picquet, 7e. Tél. 01 45 51 36 34. M° École-Mili-
taire.*
Internet : *www.CuisineMB.com*

Le chic des apparences. «Une école spécialisée dans l'art de recevoir chez soi», ainsi se définit ce cours de cuisine mené avec
énergie par la princesse Marie-Blanche de Broglie depuis 1975 dans
son bel appartement bourgeois au cœur du 7e, où vous serez reçu
en grande pompe. Un cours polyglotte vous y attend, en compagnie de jeunes femmes venues d'un peu partout (Japonaises, Mexi-
caines, Américaines...) pour tout savoir sur la gastronomie
française. Ici, on fait la cuisine, mais pas la vaisselle, à la charge
exclusive d'un majordome... C'est la grande vie! Trois groupes de
deux élèves préparent chacun un des plats d'obédience plutôt traditionnelle : crème aux huîtres, civet de lotte au vin rouge, gnocchis
à la parisienne, poulet aux langoustines, gratin de haricots verts,
vinaigrette de poireaux mimosa, soufflé au Grand Marnier, tourte
aux pommes... L'après-midi est dédié à des cours d'art de vivre :

comment recevoir, dresser une table, les usages français, le service des boissons, cours d'art floral... La formule complète, somme toute un peu désuète, s'exporte bien à travers le monde, et propose aux jeunes femmes qui se destineraient à la carrière d'«épouse parfaite» d'asseoir leur formation. On regrette cependant que le matériel, les ustensiles et même les ingrédients utilisés pour les recettes ne soient pas de toute première fraîcheur, et que la déco de la cuisine soit restée très *eighties*, surtout au vu des tarifs pratiqués par la maison!

■ Ouvert du lundi au vendredi, de septembre à juillet inclus. Fermé en août, une semaine à Noël et une semaine à Pâques. Téléphoner pour connaître les horaires et les dates précises. ■■ Forfait de 5 cours de cuisine : 550 €, 10 cours de cuisine : 1000 €, 3 cours de pâtisserie : 275 €. Cours d'une semaine cuisine-art de vivre : 1000 €. Votre chérubin et ses copains peuvent aussi, le temps d'un après-midi et en groupe, suivre les cours du Petit Pâtissier pour 25 € par tête.

Salon de thé Bernardaud

Galerie Royale, 8 bis, rue Boissy-d'Anglas, 8e. Tél. 01 43 12 52 08. M° Concorde.
Internet : *www.bernardaud.fr*

Leçons pour becs sucrés. Denis Ruffel, chef pâtissier de la maison Millet, fournisseur officiel du salon de thé Bernardaud, mène cette initiation gourmande et vous livre tous les secrets de son soufflé aux marrons, de ses crêpes Suzette, de ses aumônières, de ses crêpes soufflées, de sa tarte aux pommes à la cannelle et au sucre vanillé, de ses profiteroles au chocolat, de ses petits fours secs, de sa crème renversée ou encore de ses sorbets. On adore le cadre sobre et chic du salon de thé et l'accueil chaleureux. Franchement, pour une participation modique qui comprend le cours et la dégustation de la pâtisserie correspondant au thème du jour, c'est une petite parenthèse de pur bonheur à s'offrir! Il faut impérativement réserver, car les places sont limitées pour assister aux deux cours mensuels. À saluer aussi, les Conférences du lundi, organisées de 16h à 17h autour d'un thé et d'une douceur maison. Les thèmes abordés permettent d'apprendre à mieux connaître l'histoire de la porcelaine et d'autres univers qui s'y rattachent. Gourmands et gourmets viendront apprendre les règles du stylisme culinaire, de la préparation du thé, la cuisine au thé, l'histoire de la route des épices, l'analyse des dictons culinaires... Un rendez-vous culturel et gourmand à ne pas manquer.

■ Les cours ont lieu deux jeudis par mois, de 16h à 17h30.
■■ 1 cours de pâtisserie : 18 €. Conférence du lundi 16 €. Pour plus de détails, téléphoner pour obtenir le programme ou consulter le site.

Dame Jeanne

60, rue de Charonne, 11e. Tél. 01 47 00 37 40. M° Ledru-Rollin.
Internet : *www.damejeanne.fr*

Générosité gourmande. Transmettre son savoir aux gourmands de bonne volonté, c'est la mission que s'est donnée le sympathique chef de cuisine du restaurant Dame Jeanne, situé non loin de la Bastille. Les cours ont lieu dans la boutique du restaurant, près de la cave à vins. Par groupes de six élèves, Francis Lévêque enseigne la préparation de ses meilleures recettes : c'est l'occasion rêvée pour enfin comprendre comment cuisinent les pros et surtout réapprendre les bons gestes avec technique et méthode. Avis aux amateurs, débutants ou plus confirmés, le programme de ce cours est des plus alléchants : risotto, cuisson des poissons, le foie gras, les légumes, les purées, les madeleines, un buffet dînatoire, autour du saumon, les œufs en dix façons, les truffes au chocolat, les fonds de sauce... Et tout ça, pour un tarif raisonnable.

■ Les cours ont lieu de jeudi soir de 18h à 20h30 ou le samedi matin de 11h à 13h. ■■ 1 cours : 58 €.

Le Cordon Bleu

8, rue Léon-Delhomme, 15e. Tél. 01 53 68 22 50. M° Vaugirard.
Internet : *www.cordonbleu.net*

Efficacité et tradition. Bienvenue au Cordon Bleu, «Académie d'art culinaire de Paris». Depuis 1895, un grand bâtiment moderne dressé sur plusieurs niveaux abrite une cafétaria et des laboratoires de cuisine et de pâtisserie équipés de matériel pro. Cette académie étant principalement tournée vers la formation diplômante de professionnels de l'hôtellerie du monde entier, on ne vient pas ici pour l'intimité et la personnalisation des cours mais pour apprendre tous les tours de main des quatre-vingts chefs qui se relaient pour vous transmettre leur savoir culinaire.

En semaine, l'école propose aux amateurs des démonstrations suivies de dégustations. Un chef – toqué, s'il vous plaît – vous y livre, gestes à l'appui, tous les secrets de fabrication des plats de la gastronomie française. Ces démonstrations sont abordables et sympathiques, mais pour vraiment saisir toutes les subtilités de l'art culinaire, mieux vaut participer aux « sessions gourmets » thématiques du samedi, réservées à nous autres cuisiniers du dimanche. Le programme est vaste : cuisine des amis, cuisine régionale, boulangerie, pâtisserie, petits fours salés ou sucrés, visite de marchés, cours d'œnologie ou encore cuisine et pâtisserie de saison (ah ! les bûches et le foie gras de Noël !). Vous exécutez les plats en présence du chef enseignant, vous les cuisez, vous les présentez, et à la fin de la journée vous rapportez tout chez vous pour une dégustation qui promet d'être mémorable.

■ Le programme peut être demandé sur place ou consulté sur le site Internet. ■■ Démonstrations : 38 €. Sessions gourmets : 125 €.

Trucs de Chef

366 ter, rue de Vaugirard, 15e. Tél. 01 42 50 56 62. M° Porte-de-Versailles ou Convention. E-mail : trucsdechef@wanadoo.fr. www.trucsdechef.com

Simplicité et excellence. C'est dans les cuisines familiales – son père est chef à Forges-les-Eaux – qu'Élodie Ramelet a appris tous les trucs pour préparer de bons petits plats et a mûri l'idée d'une boutique-atelier où des élèves en nombre restreint (6 au maximum) viendraient apprendre à cuisiner en toute convivialité. Ici, on déculpabilise les débutants. Apprendre les bons gestes et bien manipuler les ustensiles, décoder les termes culinaires ou encore maîtriser les cuissons : simplement, Élodie vous dit tout sur les petits plus des recettes réussies. Cailles en escabèche, flan de foie gras à la crème de lentilles, truffes en chocolat... plus rien ne vous résistera désormais avec cette jeune chef de talent ! L'atelier propose également des cours autour de chefs expérimentés et néanmoins pédagogues, permettant aux amateurs éclairés d'apprendre à réaliser des plats plus élaborés et à mettre l'accent sur la présentation des assiettes. Après le cours, vous avez le choix entre déguster vos œuvres culinaires sur place ou repartir avec pour régaler vos proches.

Dans sa boutique, Élodie propose également de petits ustensiles bien pratiques pour réaliser vos recettes préférées, quelques bonnes bouteilles de vin ou encore des confitures artisanales.

Les cours durent trois heures et ont lieu les jeudi, vendredi, samedi, et parfois le mardi, de 9h30 à 12h30, et ponctuellement de 14h à 17h. Le mercredi (matin et après-midi) est réservé aux enfants (à partir de 7 ans) et aux adolescents.

■ Consulter le site web pour le programme des cours et s'inscrire par téléphone ou par e-mail. ■■ 1 cours de chef : 75 €, 1 cours d'Élodie : 50 €, 1 cours enfant : 30 €. Des abonnements (5 ou 10 cours) sont possibles à des tarifs préférentiels (voir en boutique).

Ecole amateur pour gastronomes Lenôtre

48, avenue Victor-Hugo, 16e. Tél. 01 45 02 21 19. M° Victor-Hugo.
Internet : *www.lenotre.fr*

Haute cuisine. Du beau, du bon, des pros, de la qualité... tels sont les maîtres mots de la célèbre maison aux réalisations connues du monde entier. Ses cours de cuisine sont à la hauteur. Ouverte en 1995, l'école a pour vocation de permettre à tous les passionnés de pâtisserie et de gastronomie de partager le savoir-faire de grands professionnels. Conçu par des chefs de la maison, le programme permet d'aborder au fil des nombreux thèmes proposés tous les secrets de la pâtisserie, de la confiserie, de la boulangerie, de la viennoiserie et de la cuisine en général. L'atelier-cuisine est séparé de la boutique par une baie vitrée et on y officie bien au calme, confortablement. La cuisine, équipée pro bien sûr, est très bien conçue (même si de petites retouches de décoration et de peinture seraient les bienvenues...). Les produits utilisés sont toujours de toute première fraîcheur. Bien assis sur son tabouret, on observe les démonstrations, on participe aux découpes, on surveille les cuissons, on mélange les ingrédients, tandis que le chef nous prodigue toutes les astuces et tous les conseils indispensables. Les questions sont les bienvenues, et les discussions autour du thème du jour vont bon train. Les thèmes sont variés, voire sophistiqués (et c'est tant mieux). On s'essaiera suivant les jours à la préparation des escargots et des grenouilles, du saumon, des volailles, aux petits fours secs et moelleux, aux crèmes, aux meringues, aux crêpes sucrées, aux amuse-bouche et aux pièces cocktail, aux kougloffs et aux brioches, aux tartes… Des banquets en perspectives pour les élèves assidus ! Un petit niveau est tout de même requis pour suivre le déroulement du cours, mais Céline Soulier, la charmante responsable, reste à votre disposition pour vous conseiller un cours adapté à votre niveau. À la fin de chaque cours, chaque élève repart avec le petit plat mitonné du jour à déguster at home !

■ Ouvert du lundi au samedi inclus. Cours pratiques pour adultes tous les jours sauf le mercredi (réservé aux enfants de 8 à 12 ans, deux sessions dans l'après-midi) de 9h à 13h ou de 14h à 18h.

■■ À cours haut de gamme, prix en conséquence (selon le cours choisi, il faut compter en moyenne entre 80 et 90 €), mais la leçon en vaut la peine, on vous l'assure. Après un tel apprentissage, on ne cuisine plus jamais comme avant.

ADF (Alain Ducasse Formation)

41, rue de l'Abbé-Ruellan, 95100 Argenteuil. Tél. 01 34 34 19 10

Les classes de Ducasse. Un diplôme de chez Ducasse ? Le rêve est désormais accessible aux amateurs passionnés de bonne et belle chère qui, depuis peu, peuvent enfin en savoir plus sur les coulisses des cuisines du chef étoilé à la renommée mondiale. Prévoyez de vous libérer toute la journée : un bus vient vous chercher à 9h devant le très chic Plaza Athénée et vous emmène directement aux fourneaux d'ADF, à Argenteuil. Là, le marché émoustillera déjà vos papilles, pendant que vous enfilerez votre tablier et votre toque de grand chef d'un jour. Explications, décryptages, décodages culinaires: tout est fait pour vous mettre à l'aise et vous faire pénétrer dans un univers que vous rêviez de découvrir, en compagnie d'un chef qui vous encourage à mettre la main à la pâte et répond à toutes vos questions avec bonne humeur et précision. Les plats sentent bon la Méditerranée et les Landes, régions de prédilection d'Alain Ducasse, et vous pourrez fièrement refaire chez vous le risotto Carnaroli, truffes et artichauts poivrade, le pavé de bar à la plancha, bolets en suc de persil et jambon, la volaille jaune des Landes et sa caillette, petites girolles au naturel… grâce au livret des recettes remis pendant le cours. C'est chic, c'est chef, et forcément un peu cher… sauf pour les fous de cuisine et les innombrables fans de Ducasse qui en redemandent !

■ Les cours ont lieu sur une journée entière (les vendredi et samedi). ■■ Tarif (par jour) : 290 € par personne (250 € si deux personnes s'inscrivent ensemble).

■ **Et aussi...**

Ecole Ritz-Escoffier

15, place Vendôme, 1er. Tél. 01 43 16 30 50. M° Concorde.
Internet : *www.ritz.com/fr*
Du luxe. Encore du luxe, pour ces cours de cuisine haut de gamme, qui se déroulent dans le même esprit que ceux de Lenôtre. Les tarifs (élevés) varient selon le cours choisi (cours César-Ritz, cours Ritz-Escoffier, L'Art de la pâtisserie française, les Ateliers de saison...). Se renseigner par téléphone ou sur le site Internet.

Food à toutes les sauces : quelques tendances

• **Fooding.** *Un soir de bouclage d'un article pour* Nova Mag*, Alexandre Cammas, critique gastronomique nouvelle vague, invente le mot* fooding*, juxtaposition du mot* food *et du mot* feeling*. En clair, « C'est l'art de manger, de cuisiner ou de passer à table chez soi, dans un restaurant, dans certaines dispositions d'esprit : appétit de nouveauté et de qualité, refus de l'ennui, amour du bel ordinaire, envie de s'amuser, et surtout de manger avec son temps. » Le fooding cristallise tous les courants gastronomiques actuels (*world food, slow food, vins de soif, fusion food, musiques de fond, tables d'hôtes...*) et rompt avec une vision étriquée, des plaisirs de la table.*

• **Slow food.** *Le grand frère du fooding est né en Italie en 1986, rejeton gourmand d'un journaliste gastronomique passablement agressé par les odeurs de friture du Macdo. « Insupportable ! » se dit alors Carlo Petrini, qui contacte ses copains fins gourmets. L'emblème du Slow Food (par opposition au fast-food) est choisi : ce sera un escargot, hymne à la lenteur... Aujourd'hui, soixante mille membres répartis dans 45 pays adhèrent à cet éloge du « manger lent » et prônent la reconnaissance du goût, le culte des plaisirs de la table, la cuisine qui mijote, la convivialité, la protection des nourritures indigènes, la diversité agriculturelle ainsi que les traditions gastronomiques. En résumé, une philosophie du plaisir couplée à une éducation du goût. Slow, le magazine culturel du goût, est en vente à la Librairie des Gourmets, 98, rue Monge, 5e. www.slowfood.com*

•**Fusion food.** *Un mode d'emploi simplissime : des produits d'origines diverses mariés en toute créativité. Et hop! Ça donnera au final : un risotto au camembert, un poulet au Coca... Des saveurs traditionnelles ou plus exotiques. L'aventure conduira les adeptes chez Nobu (15, rue Marbeuf, 8e).*

•**World food.** *Le consommateur de produits ethniques est un citoyen du monde. Il ne parle désormais plus de cuisine asiatique mais sait en distinguer les subtilités : coréenne, vietnamienne, chinoise, malaise... Ce sont donc les cuisines du monde, au pluriel, que véhicule cette idée de World Food.*

Cuisines du monde : exotisme au menu

■ Cuisine italienne

Centre de langue et de culture italiennes

4, rue des Prêtres-Saint-Séverin, 5e. Tél. 0146342700. M° Cluny-La Sorbonne. www.centrital.com

Per golosi. Les secrets de la *pasta* et de la cuisine italienne révélés par le directeur du Centre de langue et de culture italiennes en personne, Antonio Francica. C'est dire la place qu'occupe la gastronomie dans la civilisation italienne! Artichauts à la romaine, poivrons à la napolitaine... La *dieta mediterranea* n'aura plus de secrets pour vous, à raison de deux cours mensuels de trois heures. Dans une ambiance typiquement transalpine, les élèves prennent part à la fin de leur session à un repas convivial et gourmand.

■ Deux samedis par mois, de 12h30 à 15h30, réservation indispensable. ■■ La séance : 23 €.

■ Cuisine libanaise

CEASIL

4, rue Vigée-Lebrun, 15e. Tél. 0144496789. M° Volontaires.

Plaisir maxi pour budget mini. Une semaine, la pâtisserie est à l'honneur, et la suivante, ce sont les spécialités salées. Dix gourmets se retrouvent autour de Marie au CEASIL, centre social du 15e arrondissement. Un bon plan, car, hormis les frais d'adhésion annuels et les frais de marché, les cours sont gratuits.

■ Les mercredis de 18h30 à 21h. ■■ Adhésion annuelle : 28 €.■

■ Cuisine indienne

Po Mana, cuisine indienne ayurvédique

39, rue des Vinaigriers, 10e. Tél. 01 40 37 19 19. M° Jacques-Bonsergent.

Entrée en matière. Plutôt qu'un cours de cuisine traditionnel, c'est une initiation à la cuisine ayurvédique que vous propose Florence, chef du restaurant Po Mana, spécialisée en cuisine indienne diététique dont elle a retenu les principes lors de ses voyages en Inde. Un retour aux sources, une nouvelle façon de s'alimenter aussi. Vous apprendrez avec Florence à préparer toutes les bases de cette cuisine : galettes et crêpes indiennes, lait caillé, beurre clarifié, préparations de légumineuses, gestes appropriés. Suivront ensuite tous les plats traditionnels.

■ Les cours, qui durent deux heures, ont lieu à la demande, à la coupure (entre 15h30 et 17h30 sur rendez-vous). ■■ Cours particulier : 23 €, en groupe : 15 € par heure.

■ Cours de sculpture thaïe sur fruits et légumes

Restaurant Balibar

9, rue Saint-Sabin, 11e. Tél. 01 47 00 25 47. M° Bastille.

Confidentiel. Sculpter des mangues, des ananas, des radis, du potiron à la façon thaïe ? Un hobby bien original que Nisa, l'épouse du chef du restaurant thaïlandais Balibar, peut enseigner à qui le souhaite. Sur place au restaurant, mais aussi chez vous, pour la durée que vous souhaitez et au tarif vu sur mesure avant le cours, la découpe artistique des fruits et des légumes n'aura plus aucun secret pour vous ! Prendre rendez-vous par téléphone.

■ Cuisine chinoise

Association culturelle franco-chinoise

38, rue de la Tour, 16e. Tél. 01 45 20 74 09. M° Passy.

Home-made. Cette association créée en 1985, présidée par la chef cuisinière Deanna Gao, offre un large choix d'activités culturelles pour les Français désireux d'en savoir plus sur les traditions chinoises. Figure importante de la culture chinoise à Paris, Deanna Gao est une pionnière : elle fut en effet la première artiste à enseigner en France la peinture et la calligraphie chinoises, et aussi la première à organiser la fête du Nouvel An chinois à Paris, dès 1977. La charmante Deanna assure ses cours de cuisine chez elle, en appartement. L'ambiance est donc très *home-made*. De cinq à dix élèves, à chaque fois, l'écoutent parler des traditions de son pays pendant qu'elle prépare les plats avec les moyens du bord. Bonne idée : le premier cours est consacré à la visite d'un supermarché chinois dans le 13e. Ensuite, pendant les cours, de la cuisson du riz jusqu'au bon usage de la sauce de soja, tout est passé en revue avec précision, afin que vous puissiez réussir les plats chez vous : poulet aux cacahuètes, légumes de Shanghai, poisson à la vapeur, nouilles sautées, bœuf aux poivrons... Que de délices !

■ Le stage se déroule sous forme de cinq cours dont les dates sont à préciser en fonction des disponibilités de chacun. Les cours ont lieu de 12h à 13h30 ou de 18h30 à 20h. Se renseigner selon les stages, les jours pouvant varier. ■■ 1 cours : 27,50 € ; 5 cours : 137,30 €. Les frais d'alimentation sont inclus dans le cours.

■ Et aussi...

Rencontre et culture franco-asiatiques
29, avenue de Choisy, 13e. Tél. 01 45 86 10 52. M° Porte-de-Choisy.
■ Ouvert le samedi et le dimanche de 10h à 17h30. ■■ Cours de cuisine chinoise : 92 € pour 3 mois, plus 20 € de cotisation annuelle.

■ Cuisine japonaise

Association culturelle franco-japonaise Tenri
8-12, rue Bertin-Poirée, 1er. Tél. 01 44 76 06 06. M° Châtelet ou Pont-Neuf.
À la baguette ! Amateurs de *sashimi* et autres *maki-sushi*, c'est ici que vous saurez enfin tout sur la gastronomie japonaise. L'association, qui existe depuis 1983, propose à ses élèves (dix au maximum par cours) trois cours par mois pour une belle balade gastronomique autour des saveurs japonaises : assortiment de fritures, *sukiyaki*, *chirashi-sushi*, *tempura*, *nigiri* de poisson, *maki-sushi*, *futomaki*... Du chaud, du froid, du mariné, du frit, du cru et du cuit... Rien n'est

oublié pendant ces cours menés énergiquement par un chef japonais et francophone, Bin Muto, et qui font la part belle à la pratique. Pas de timidité surtout : ici vous plongez les mains dans le riz vinaigré, vous roulez vos makis, vous coupez votre poisson dans les règles, vous faites frire vos beignets à la bonne température, vous cuisez l'omelette dans une poêle rectangulaire. Certes, les locaux et le matériel utilisé ne sont pas high-tech, il fait un froid de canard en hiver dans l'atelier-cuisine (pour préserver la fraîcheur du poisson cru, peut-être...), mais le plaisir du dépaysement est au rendez-vous et Akiko Yamaguchi, la charmante instructrice, réussit à réchauffer l'atmosphère en toute saison.

■ Ouvert de 12h30 à 20h00 du lundi au vendredi, de 12h30 à 18h le samedi. Cours le samedi matin de 10h30 à 13h30 (dégustation-repas à la fin). ■■ Le cours d'essai : 41 € (33,50 € pour les adhérents) ; les 3 cours : 97,50 € ; les 5 cours : 159 €. Rajouter l'inscription à l'association (32,55 €).

Centre culturel franco-japonais ♥

8-10, passage Turquetil, 11e. Tél. 01 43 48 83 64. M° Nation.

Atelier nippon. Nichée dans une petite rue près de la place de la Nation, dans un ancien atelier de menuiserie vitré de haut en bas, l'école accueille tous ceux qui souhaitent en savoir plus sur la culture japonaise et sa gastronomie en particulier. Dynamique, enjouée et efficace, la chef japonaise, couteau à la main, vous explique toutes les techniques de découpe, de conservation, et d'assaisonnement du poisson, la cuisson du riz, la préparation des algues... Les explications sont claires, on apprend, on comprend, on rit souvent. On passe à l'action à la fin du cours : couteau en main, nous voilà à découper un saumon tout frais en lamelles bien régulières, à préparer le riz vinaigré pour les *sushi*... Le repas pris en commun avec tous les élèves est un régal pour les yeux (on apprend ici à soigner la présentation des plats) et pour les papilles ravies de tant de saveurs surprenantes. Enfin, on a même la gentillesse de vous donner les meilleures adresses de poissonneries de la capitale, d'épiceries japonaises où se procurer les denrées indispensables la réalisation de vos *sushi* et autres *maki* : *mirin*, sauce de soja, algues séchées, vinaigre de riz... Enfin, un lexique de termes culinaires japonais complète le dossier fourni par l'école :

teriyaki, *tempura*, tofu, *shiitake*, *udon* ou encore *wasabi* n'auront enfin plus de secret pour vous.

■ Cours le samedi matin de 10h à 13h. ■■ Plein tarif : 36 € le cours, frais de marché inclus. Tarif adhérent : 31 € le cours, frais de marché inclus (adhésion : 23 € par an).

Cuisine diététique : équilibre et légèreté

Diet Café ♥

9, rue Charles-V, 4e. Tél. 01 42 74 07 85 et 06 70 04 18 72. M° Saint-Paul. Internet : www.e-dietcafe.com

Light. Halte aux mauvaises habitudes alimentaires, aux déséquilibres et aux carences nutritionnelles ! Il est temps aujourd'hui d'associer légèreté, équilibre et plaisir gastronomique. Docteur en pharmacie, diplômée de diététique et experte en maladies de la nutrition, la créatrice de Diet Café est une experte en la matière. Mais c'est avant tout sa passion pour l'art culinaire qui a poussé Frédérique Lauwerier à créer ce concept original, novateur et fort utile aux mangeurs pressés et ignorants que nous sommes parfois. Une initiation qui s'effectue dans un local lumineux dont la déco minimaliste incite à la convivialité et au partage des savoirs. Les matériaux sont chaleureux, le matériel utilisé haut de gamme et les plats de présentation très design, dénichés pour la plupart au Conran Shop dont Frédérique est une fan. Huit élèves au maximum partagent ce cours pour des séances Découverte et Convivialité d'environ trois heures. Chaque cours est organisé autour d'un thème culinaire ou d'un menu de saison. Au programme, par exemple : tartare de saumon, saint-jacques à la fondue d'endives, poires au safran ou encore caviar d'aubergines, compote de tomates, dés de poulet caramélisés au gingembre, salade d'herbes, papillotes d'abricots à la lavande... Lors de la séance, vous apprendrez quelles sont les qualités nutritionnelles de chaque ingrédient, vous découvrirez les bénéfices de leurs associations et vous vous initierez à des modes de cuisson originaux et diététiques. Vous cuisinerez ensuite tout un menu, équilibré et raffiné, à déguster en groupe autour de la table centrale. À la fin du cours, pour parfaire votre éducation, on vous remettra une documentation sur la pyramide alimentaire, les bases d'une alimentation équilibrée. Ici, la sélection des produits est draconienne et l'enseignement est de qualité. On propose ici également des cours pour ados un peu trop portés sur les Macdo...

■ Les cours ont lieu du lundi au vendredi de 11h à 14h, et le samedi sur rendez-vous, au même horaire. ■■ Le cours : 80 €, le stage de 5 cours : 300 €.

Le Grand Appétit

9, rue de la Cerisaie, 4e. Tél. 01 40 27 04 95. M° Bastille.

Art de vivre bio. Une épicerie bio végétarienne vous livre tous ses petits secrets de cuisine et d'art de vivre. Manger sain, manger frais et végétarien : on vous apprend ici à mieux connaître les produits qui composent cette alimentation. Plus qu'un cours de cuisine, c'est une plongée dans la macrobiotique qui vous est proposée. Selon l'inspiration du jour, on vous apprend à faire du pain (des pains spéciaux, tout pleins de saveur), des tartes «veggies» ou des plats à base de fruits et de légumes. Le repas pris en commun par la suite est l'occasion de s'initier davantage à cette nouvelle forme d'alimentation avec les participants du cours, le plus souvent fidèles clients de l'épicerie.

■ Épicerie ouverte de 9h30 à 19h30, sauf les vendredis et dimanches de 9h30 à 16h. Fermé le samedi. Les cours ont lieu environ une fois par mois, le dimanche matin de 10h30 à 13h environ. 12 personnes au maximum y assistent. Téléphoner absolument pour avoir le détail des cours. ■■ Le cours : 17 € par personne.

Cours de cuisine à petits prix : les bons plans

L'ADAC

*Présente dans tous les quartiers de Paris, l'ADAC (Association municipale pour le développement de l'animation culturelle) délivre d'excellents cours à des prix très raisonnables. Les centres ci-dessous proposent des cours de cuisine, parfois spécialisés. Consultez le site **www.adacparis.com** pour connaître toutes les possibilités de cours, d'ateliers et de stages, parfois très spécialisés. Vous pouvez également téléphoner directement aux numéros ci-dessous, les horaires et les jours pouvant varier sans prévenir.*

ADAC 12e

30, rue Erard, 12e. Tél. 01 46 28 67 16. M° Reuilly-Diderot ou Montgallet.
En famille. Des cours de cuisine familiale à petit prix, quelle bonne idée pour les mères de famille stressées ! Le chef Fabrice Larbi donne ici à ses élèves les bases indispensables de la cuisine et de la pâtisserie familiales avec gentillesse et patience. Dans une ambiance amicale, les élèves se retrouvent chaque semaine pour couper, touiller, mélanger et goûter des plats savoureux. À notre passage, ils préparaient un festin de petits fours salés : tarte à la tomate, noix au fromage et gougères. Les recettes et les menus sont plutôt classiques (pot-au-feu, brownies...), parfois cependant un tajine d'agneau, une semoule à la fleur d'oranger, un flan de carottes muscadé viennent égayer le menu en prévision de vos réceptions ou de vos dîners en amoureux. Fabrice Larbi, l'œil attentif et le conseil avisé, sait se mettre au service des cuisiniers débutants, avec une efficacité certaine. Et même si le cadre, la déco, le matériel, la lumière et le confort ne sont pas formidables, ce cours a vraiment tout pour plaire.
■ Ouvert du lundi au jeudi de 14h à 18h et le vendredi de 14h à 17h. Fermé pendant les vacances scolaires. Les cours ont lieu le mardi ou le mercredi de 18h à 21h. ■■ Il faut faire les courses avant chaque cours, mais c'est la formule petit budget idéale. Adhésion : 16 €. Le trimestre : 106 € (1 cours hebdomadaire de trois heures). Le semestre : 172 € (de janvier à juin). La saison : 246 € (d'octobre à juin).

■ **Et aussi...**

- *Centre Victor-Bucaille, 85, rue de Vaugirard, 6e. Tél. 01 42 22 37 41.*
M° Montparnasse-Bienvenüe ou Saint-Placide.
Cours sur les herbes et les épices.
- *28, rue Lucien-Sampaix, 10e. Tél. 01 42 02 45 49. M° Jacques-Bonsergent.*
Appeler de 16h à 20h seulement.
- *4, rue Didot, 14e. Tél. 01 45 43 46 84. M° Pernety.*
Cours de cuisine végétarienne. Appeler de 14h à 18h, sauf le mardi.

■ **Cours municipaux d'adultes**

Service central des cours municipaux d'adultes
9, rue de la Perle, 3e. M° Arts-et-Métiers.
Renseignements sur le serveur vocal de Paris Info Mairie 08 2000 75 75
et sur le site Internet de la mairie de Paris, rubrique « Nos formations » :
www.paris-france.org
LEFS Jacques-Monod
12, rue Victor-Cousin, 5e. RER Luxembourg.
École élémentaire Le Vau
10, rue Le Vau, 20e. M° Porte-de-Bagnolet.
Renseignements au 0800 2000 75 75.

Un si bon plan... qu'il faut se lever de bonne heure pour avoir une place. Apprentis cuisiniers motivés, voici le parcours du combattant. Vous êtes majeur ? Oui ? Alors, vous pouvez aller retirer le formulaire d'inscription auprès des services d'accueil des mairies d'arrondissement ou au salon d'accueil de l'Hôtel de ville, les tout premiers jours de septembre. Remplissez soigneusement votre petit formulaire, sans rien oublier (sinon le dossier est refusé...) et envoyez-le par la poste, dûment affranchi, à l'établissement souhaité. On vous répondra en fonction des places disponibles (il y a deux semestres dans l'année : de septembre à décembre et de janvier à juin). Si votre dossier est retenu, l'établissement choisi vous convoquera. Attention à bien respecter la date et l'heure indiqués ! L'assiduité aux cours est indispensable, sinon la réinscription est refusée (il y en a qui attendent derrière). Un sacré parcours, mais votre banquier vous remerciera de tous vos efforts.

■ **Lycée Jacques-Monod :** cours de cuisine diététique le mercredi de 18h30 à 21h30. **École Le Vau :** Cours de pâtisserie le mercredi de 14h à 17h ou de 18h30 à 21h30. Cours de cuisine traditionnelle le mardi ou le jeudi de 18h30 à 21h30 ou le jeudi de 14h à 17h.

■■ Pour un semestre (trois heures de cours hebdomadaires) : cours de pâtisserie (école Le Vau) : 79,27 € ; cours de cuisine traditionnelle (école Le Vau) : 106,71 € ; cours de cuisine diététique (lycée Jacques-Monod) : 79,27 €.

■ Les centres d'animation (associations sous contrat avec la Mairie de Paris)

Centre d'animation Forum des Halles, le Marais

6-8, place Carrée, 1er. Tél. 01 40 28 18 48. M° et RER Les Halles.
Entrée ou dessert ? Ici, vous travaillez en petit groupe dans une cuisine professionnelle très bien équipée. Un cours très sérieux où l'on a vraiment envie de vous faire progresser. Au cours de 11h, vous préparerez votre déjeuner dégusté sur place, et au cours de 14h vous vous transformez en pâtissier amateur. Attention, il faut s'y prendre très à l'avance pour avoir une chance d'être admis.

■ Cours de cuisine et de pâtisserie pour adultes. Débutants : lundi 11h-13h15, 14h à 16h15, 19h-21h15. Avancés : mardi aux mêmes horaires. Intermédiaires : jeudi aux mêmes horaires.

■■ Le trimestre : 122 € + 15 € de droits d'inscription.

Espace Château-Landon

31, rue de Château-Landon, 10e. Tél. 01 46 07 84 12. M° Louis-Blanc.
Pour tous niveaux. Trois heures par semaine sous la direction d'un chef qui livre ses trucs et ses astuces dans un grand atelier cuisine. Quinze personnes maximum.

■ Les inscriptions se font au début du mois de septembre, les cours commencent à la mi-octobre pour deux cycles de dix semaines.

■■ 129 € par cycle + 20 € d'inscription.

Inter-Club 17

47, rue de Saussure, 17e. Tél. 01 42 27 68 81. M° Villiers.
Pour débutants motivés. Inter-Club 17 est un centre d'animation pour les jeunes, sous contrat avec la ville qui propose aussi de très

bons cours aux adultes ; le chef Jean-Luc Renon anime ces cours pour les débutants. Beaucoup de femmes de toutes nationalités viennent ici découvrir les spécialités françaises. Sept personnes au maximum assistent au cours et dégustent en commun le repas préparé. Les inscriptions commencent en juin pour la rentrée, mais il vaut mieux s'y prendre longtemps à l'avance.

■ Cours de cuisine pour adultes le jeudi soir de 19h à 21h.

■■ Pour un atelier par semaine : 160 € par trimestre, 390 € ou par an. L'adhésion annuelle en sus : 15 €.

Faire de sa passion son métier

Vous trouverez ci-après toutes les filières professionnelles pour devenir un grand chef et monter son restaurant, quel que soit l'âge auquel commence votre initiation.

■ Petit cuistot deviendra grand : cours pour les enfants et les jeunes

Le Garef océanographique

26, allée du Chef-d'Escadron-de-Guillebon, 14e (au dessus de la gare Montparnasse). Tél. 01 40 64 11 99. M° Montparnasse-Bienvenüe.
Internet : www.garef.com/oceano

Le goût du large. Le Garef océanographique est une association pour le développement des loisirs scientifiques chez les jeunes de quinze à vingt-cinq ans passionnés par le monde marin et aquatique. Dans ce cours original, les jeunes cuisiniers élaborent des préparations culinaires à partir de produits de la mer : poissons, algues, plancton, etc., encadrés par Grégoire Dettaï, « cuisinier de la mer » en chef. Première étape : l'apprentissage des techniques de base de la cuisine de la mer. Comment découper, désarêter un poisson, lever ses filets... Des notions de base concernant l'utilisation des ustensiles, la cuisson des aliments, l'hygiène, sont également proposées. Enfin, chacun participe à l'élaboration de recettes inventives, voire vraiment originales. Une nouvelle façon de découvrir l'incroyable diversité des produits et les différentes façons de les travailler. À la fin du cours, les élèves dégustent le menu du jour, en compagnie du prof : maquereau poêlé à l'anis avec sa salade de pommes de terre et légumes de saison, truite meunière avec ses pommes à l'anglaise et champignons de Paris sautés, croustillants des crevettes et ananas au curry... Il n'y a pas que les filets panés dans la vie !

■ Cours le samedi de 14h à 19h. ■■ Renseignements par téléphone.

L'Atelier d'Arthur ♥

Jardin d'Acclimatation, bois de Boulogne, 16e. Tél. 01 40 67 90 82. M° Les Sablons.

Petits toqués. Cuisiner comme un chef est désormais à la portée des enfants de trois à douze ans grâce à l'Atelier d'Arthur, un atelier de cuisine rondement mené au jardin d'Acclimatation, dans un décor signé Hippolyte Romain. Les petits vêtus d'une toque, d'une veste et d'un tablier de cuisine préparent des plats originaux dont les ingrédients (fruits, fleurs, légumes) proviennent du potager du jardin. Sous la surveillance attentive de professionnels, nos petits chefs apprennent aussi, tout en s'amusant, les règles de sécurité dans une cuisine aménagée spécialement pour eux. La formule est également utilisée avec succès pour animer les anniversaires des enfants, qui invitent tous leurs copains à mettre la main à la pâte pour préparer des madeleines, des cakes aux fruits...

■ Cours les mercredis et samedis, parfois le dimanche. Un atelier simple le matin de 10h à 12h ou l'après-midi de 14h à 16h.

■■ Le cours : 12,81 € (possibilités d'abonnement), entrée du jardin incluse. Réservations : téléphoner.

Inter-Club 17

47, rue de Saussure, 17e. M° Villiers. Tél. 01 42 27 68 81.

Marmitons en herbe. Inter-Club 17 est un centre d'animation municipal qui propose à un large public des activités de loisirs de qualité, dont des cours de cuisine pour enfants. L'atelier a lieu dans une très sympathique «salle de cuisine», colorée et lumineuse, au troisième étage du bâtiment. Dans cet espace bien aménagé et sécurisé, les petits marmitons de six à douze ans officient par groupe de huit à dix sous la surveillance de Stéphane Le Roch, un ancien pâtissier qui les initie à l'art de préparer un taboulé, des chaussons aux pommes, des poissons en papillote, des quiches ou des mendiants. Votre dîner du mercredi soir sera ainsi réalisé par votre progéniture puisque les petits élèves rapportent chez eux leurs réalisations.

■ Les cours de pâtisserie et de cuisine pour enfants ont lieu le mercredi après-midi de 13h30 à 15h et de 15h à 16h30.

■■ Un atelier par semaine : 83 € par trimestre, 220 € par an. Adhésion annuelle en sus : 15 €.

Livres, CD-Roms...

- Alain Ducasse, Bernard Loiseau, Joël Robuchon racontent la cuisine aux enfants : recettes pour Faustine et Pierre

Pour bobos en culotte courte, un livre dans lequel trois grands chefs cuisiniers mettent leur savoir-faire et leur originalité à portée des enfants. Un très bel album de cuisine dont tous les bénéfices sont reversés aux Enfants de la Terre, l'association de Marie-Claire Noah. Une BA délicieuse !

- Adibou présente la cuisine

Adibou est aux fourneaux maintenant : ce CD-Rom pour les 4-7 ans initie à la préparation de petits plats, et même de repas équilibrés. Trente recettes simples à réaliser sont prêtes à imprimer, de l'entrée au dessert, avec la liste des courses. Petit plus : une cuisine virtuelle pour répéter chaque recette avant de la faire «pour de vrai».

■ **Et aussi...**

École pour gastronomes Lenôtre (voir page 13).

La Cuisine de Marie-Blanche (voir pages 9-10).

Cours de cuisine Françoise Meunier (voir pages 6-7).

Cours de cuisine La Cornue (voir page 9).

École Ritz-Escoffier (voir page 15).

Centre d'animation Forum des Halles, le Marais

6-8, place Carrée, 1er. Tél. 01 40 28 18 48. M° et RER Les Halles. Cours plus abordables.

■ Il est gourmand, elle est gourmande : pourquoi pas une filière pro ?

Dès la troisième, on peut s'orienter vers une filière professionnelle et préparer les BEP et CAP de cuisinier, pâtissier-glacier-confiseur ou boulanger. Des formations courtes sont complétées par des BTS en hôtellerie-restauration, des licences ou des maîtrises dont la formation a lieu dans des écoles hôtelières privées ou publiques. À noter que, contrairement aux idées reçues, il y a beaucoup de travail dans cette branche et que, qualifié, un bon cuisiner bosseur gagnera très largement sa vie.

Pour tous renseignements :

École hôtelière Vatel
107, rue Nollet, 17e. Tél. 01 42 26 26 60.
École hôtelière de Paris Jean-Drouant
20, rue Médéric, 17e. Tél. 01 42 12 62 12.
École supérieure de cuisine française Jean-Ferrandi
28, rue de l'Abbé-Grégoire, 6e. Tél. 01 49 54 28 03

■ Passer maître dans l'art culinaire : les formations diplômantes pour adultes

Certaines écoles proposent des stages et des formations diplômantes à leurs élèves qui veulent devenir à leur tour des vrais pros. C'est le cas du **Cordon Bleu**, de **La Cuisine de Marie-Blanche**, de l'**école du Ritz** et également de l'*école privée internationale de Maxim's* (9, rue Saint-Lambert, 15e. Tél. 01 40 60 60 43).

Les écoles pour les jeunes citées ci-dessus sont également à même de recevoir des amateurs passionnés souhaitant devenir pros. On y étudie avec vous les meilleurs formules de stages et de cours. Des diplômes de valeurs inégales, mais des bonnes bases pour frapper aux grandes portes et apprendre vraiment le métier au contact des chefs, voilà ce qu'il y a de plus formateur en la matière.

2

Cuisiner pro

La batterie de cuisine

Pour réussir ses préparations, quelques règles de base : des matières premières de qualité, un certain savoir-faire, des ustensiles et des accessoires de cuisine performants. Que vous soyez attaché aux qualités techniques, au design ou à l'originalité, vous trouverez à Paris tout pour vous constituer une batterie de chef.

Fournisseurs des professionnels

C'est au cœur du quartier des Halles que les professionnels des métiers de bouche sont réunis depuis plus d'un siècle et que l'on vient s'équiper en matériel pour son restaurant, sa charcuterie... Certaines vitrines, dont celles de Dehillerin, font partie intégrante de ce quartier qui a su garder en son sein ces magasins d'un autre âge où l'on s'émerveille encore devant des ustensiles de cuisine qu'on croyait disparus ou dont on ne soupçonnait pas même l'existence. Véritables cavernes d'Ali Baba pour les cuisiniers et pâtissiers amateurs et néanmoins gastronomes, ces enseignes font aujourd'hui encore principalement de la vente aux professionnels. Alors autant vous dire que pour vos trois moules à charlotte, les vendeurs ne se plieront pas en quatre... Allez donc plutôt chez ces fournisseurs avec une idée bien précise de ce que vous souhaitez, du type de matériel qu'il vous faut, et, si besoin, demandez conseil à des chefs, à des cousins cuisiniers, à des profs de cuisine... Évitez le lundi pour faire vos achats, c'est un jour très prisé par les pros de la restauration qui viennent aussi faire leurs emplettes ; préférez la fin de la semaine. Une dernière petite précision : les tarifs ne sont pas affichés sur la plupart des articles. Ici, on vous parle souvent en hors-taxe ou encore en francs, quand ce n'est pas un savant mélange de tout cela... Parfois, c'est le vendeur qui vous donnera le tarif de l'article en fonction de sa référence. À vous de comparer les prix pour faire les meilleures affaires, et si certains articles sont bien meilleur marché que dans la distribution classique (les moules souples en Flexipan par exemple) les prix pratiqués TTC sont souvent ceux du marché des grandes enseignes d'électroménager ou des grands magasins. Mais vous ne retrouverez ailleurs ni cette qualité ni ce choix.

E. Dehillerin ♥

18 et 20, rue Coquillière-51, rue Jean-Jacques-Rousseau, 1er.
Tél. 01 42 36 53 13. M° Les Halles ou Louvre. Ouvert du mardi au samedi
de 9h à 18h et le lundi de 9h à 12h30 et de 14h à 18h.
Internet : *www.dehillerin.fr*

Magique. « Spécialiste du matériel de cuisine » depuis 1820, Dehillerin est aussi un peu l'âme vivante de ce quartier des anciennes Halles. Le promeneur parisien s'attarde toujours devant cette grande et belle devanture vert bouteille qui expose du matériel de cuisine ancien ou récent, le tout sous une couche de poussière bien visible. De nombreux accessoires encore rutilants sont suspendus aux très hauts plafonds de cette boutique un tantinet gothique, telle une maison hantée par de vieux cuisiniers d'un autre âge. La magie opère... En slalomant parmi les nombreux bacs en métal, en bois, étagères murales et autres casiers, vous finirez forcément par trouver ici votre bonheur : petits ustensiles de cuisine (le fouet en inox, 30 cm : 7,53 €), la coutellerie Deglon (le top du top) et Global, un choix incroyable de moules à pâtisserie : grands, petits, ronds, carrés, sans fond, en métal blanc, à revêtement antiadhésif, en matière souple (Flexipan ou Élastomoule), sans oublier toute la gamme de poêles, de chinois, et les bassines à confiture en cuivre. On a craqué pour de grandes planches à découper en plastique aux couleurs flashy (37,71 €). Enfin, les aventuriers se fraieront un chemin entre les allées mal éclairées pour découvrir, au fond à gauche du magasin, tel un trésor caché, toute la collection de batteries de cuisine en inox. Incontournable.

Mora

13, rue Montmartre, 1er. Tél. 01 45 08 19 24. M° Les Halles. Ouvert du lundi au vendredi de 8h30 à 18h15 et le samedi de 8h30 à 13h et de 14h à 17h.

Couteaux de pros et moules à gogo. Rien ne semble manquer à l'appel pour réaliser les préparations les plus sophistiquées. Le rayon coutellerie est un des plus fournis de Paris : Deglon (couteaux et ustensiles de cuisine : vide-pomme, couteaux à pamplemousse, à ananas, à tomate...), Matfer, Sabatier et Global (des couteaux de chefs japonais au design irréprochable et à la lame affûtée... Cher, le couteau de 30 cm : 120 €, mais l'investissement est sûr et garanti à vie. À voir aussi, la multitude de fouets, un rayon de batteries de casseroles en cuivre étamé, de la poterie culinaire Émile Henry, des cocottes Staub, des poêles, des marmites. Côté pâtisserie, moules de toutes les tailles et de toutes les formes possibles : à madeleine, à charlotte, en cœur, à kouglof, à brioche (en cuivre étamé)… Enfin, pour caraméliser vos crèmes brûlées, ne manquez pas les fers à caraméliser à partir de 99,20 €. À ce prix-là, il faut quand même en faire souvent. Il y a certes un choix et une qualité sans pareils, mais le conseil aux particuliers est loin d'être à la hauteur. Il faut donc bien savoir ce que l'on veut avant d'acheter. Un anniversaire, un baptême, une communion, un mariage en vue ? Visez le grand rayon attenant à la boutique, dans lequel vous trouverez le nécessaire pour des sommes défiant toute concurrence : bobine de 500 mètres de bolduc pour 2 à 3 € HT, petits sachets de dragées, matériel de décoration de gâteaux, vaisselle jetable, rubans, décoration de Noël, caissettes en papier…

La Bovida

36, rue Montmartre, 1er. Tél. 01 42 36 09 99. M° Les Halles. Ouvert du lundi au vendredi de 8h à 17h30.

Tous azimuts. On s'attendrait – vu le nom – à trouver ici du matériel pour bouchers et charcutiers. Il n'en est rien ! On y déniche toutes sortes de machines : robots, toasters, crêpières et trancheurs. Pour une ambiance « café du coin » chez vous, procurez-vous le presse-agrumes orange et vert qui trône derrière tous les comptoirs de bar de la capitale (201,23 €). Une partie du rez-de-chaussée est dédiée à la vente d'épices conditionnées par la Bovida : ras el-hanout, herbes aromatiques et champignons séchés assez bon marché. Au premier étage, un peu de coutellerie et d'ustensiles de cuisine, des fouets, de beaux moulins à poivre… Au deuxième étage, on trouve un grand choix d'accessoires de cuisine et de pâtisserie : moule, poteries culinaires Gigoin, marmites Le Creuset… et, pour faire des vraies pâtes fraîches, une machine à pâtes Mercato (34,7 €). Rétros et kitsch, les guirlandes de carottes en plastique suspendues au plafond et de bananes accrochées aux murs rappellent vraiment les boutiques de primeurs de notre enfance.

La Verrerie des Halles

15, rue du Louvre, 1er (au fond de la cour, à gauche). Tél. 01 42 36 86 02.
M° Louvre-Rivoli. Ouvert du lundi au vendredi de 8h30 à 12h30 et de 14h
à 18h. Le samedi de 8h30 à 12h. Fermé du 1er au 15 août.

Cuisine et confitures. Pour la cavalerie légère, des terrines en
verre, des moules étranges, des pots à conserves, à confitures, et
pour les grandes offensives aux fourneaux : moules, poêles,
marmites à des prix pros.

A. Simon

48 et 52, rue Montmartre, 2e. M° Les Halles. Tél. 01 42 33 71 65.
Ouvert le lundi de 13h30 à 18h30 et du mardi au samedi de 9h à 18h30.
Internet : *www.simon-a.com*

Historique. Cette enseigne existe depuis 1884, mais c'est dans un
beau magasin tout neuf qu'on accueille les professionnels de la
restauration et les particuliers. Ici, on trouve enfin des vendeurs
de bon conseil. Cependant, parmi tous les articles à la vente, assez
haut de gamme (mais les tarifs TTC pratiqués sont de 15 % infé-
rieurs à ceux des grands magasins), seule la coutellerie professionnelle, les batteries de casseroles en cuivre, voire les moules en
porcelaine, en poterie ou en grès attireront votre attention. La vaisselle, la verrerie, le matériel et les articles de présentation de plats
s'adressent plutôt aux professionnels. Vous pourrez ici faire personnaliser votre vaisselle en y ajoutant un nom, un logo, un dessin :
c'est une des spécialités maison.

Etablissements Michel Lejeune

3, rue Bernard-Palissy, 92600 Asnières. Tél. 01 47 90 51 93. RER Asnières.
Ouvert du lundi au vendredi de 8h à 12h et de 14h à 17h30.
Internet : *www.lejeune.tm.fr*

Hyperpro. L'histoire de la maison Lejeune remonte à la fin du siècle
dernier, en Normandie. À cette époque, Victor Lejeune sillonne les
routes pour étamer les batteries de cuisine en cuivre des fermiers
de la région. En 1930, son fils Francis monte à Paris et installe son
atelier dans le 7e arrondissement. Il étame les casseroles en cuivre
pour les plus grands hôtels et restaurants de l'époque et commence
à vendre du matériel neuf. En 1973, en raison du développement
important de la vente de matériel, Michel et Christiane Lejeune

s'installent à Asnières. Aujourd'hui, quatre mille ustensiles, choisis parmi les meilleures marques, sont disponibles à leur entrepôt. On peut consulter leur catalogue en ligne ou leur rendre visite.

Matériel de pointe pour amateurs passionnés

Kitchen Bazaar

50, rue Croix-des-Petits-Champs, 1er. Tél. 01 40 15 03 11. M° Étienne-Marcel. Ouvert du lundi au samedi de 10h30 à 19h.
23, boulevard de la Madeleine, 8e. Tél. 01 42 60 50 30. M° Madeleine. Ouvert du lundi au samedi de 10h à 19h.
11, avenue du Maine, Paris 15e. Tél. 01 42 22 91 17. M° Montparnasse-Bienvenüe. Ouvert du lundi au samedi de 10h à 19h.
Actuel. Tendance, inox, astuces et qualité… Résumé en quelques mots, voici l'univers que vous proposent ces boutiques spécialisées dans l'art culinaire disséminées un peu partout dans la capitale. Les amoureux des belles lignes et des beaux matériaux se retrouvent ici pour équiper leur cuisine et en faire une belle « pièce à vivre ». Des accessoires semi-pro pour cuistots passionnés, du linge de cuisine de couleur aux motifs originaux, des produits d'entretien spécifiques, des batteries de cuisson et des arts de la table aux lignes pures, un tas d'accessoires et petits objets utiles… Tout se laisse regarder et utiliser en beauté !

Eva Baz'Art

53, rue Saint-André-des-Arts, 6e. Tél. 01 56 81 05 81. M° Odéon. Ouvert tous les jours de 11h à 20h. Le dimanche et jours fériés de 12h à 20h.
Art de recevoir. Cette toute nouvelle boutique propose du classique de qualité et du design costaud comme la gamme pro d'Alessi. Des rayons spécialisés pour le vin, de la coutellerie haut de gamme, pour la cuisson de grandes casseroles en fonte Rossle, des cocottes Staub, et beaucoup d'ustensiles malins : des zesteurs, des cuillères à melon, des moules en silicone pour réussir vos madeleines et autres petits gâteaux moelleux.

Ustencia ♥

95, rue de Seine, 6e. Tél. 01 56 24 20 20. M° Odéon. Ouvert du lundi au samedi de 10h30 à 19h.

Design suédois. Depuis 1998, ce spécialiste du design culinaire et ménager, distributeur de diverses marques hollandaises et suédoises, propose de beaux objets bien pensés pour la cuisine comme ces racks Typhoon à suspendre les casseroles, des blocs range-couteaux, des économes, ou des slicers (comprendre trancheurs) à fromage Eva Solo, très design noir et gris alu. Vous trouverez de solides blenders, plongeurs ou couteaux... aux lignes parfaites, ainsi que l'élite des accessoires : des moules Flexipan, la gamme Oxo, design et futée : presse-ail, roulette à pizza, ouvre-boîte. L'accueil est charmant.

Culinarion

99, rue de Rennes, 6e. Tél. 01 45 48 94 76. M° Saint-Placide.
75, rue du Commerce, 15e. Tél. 01 42 50 37 50. M° Commerce.
24, rue de Passy, 16e. Tél. 01 42 88 21 51. M° Passy.
Ouvert le lundi de 11h15 à 19h, le mardi de 10h30 à 19h et du mercredi au samedi de 10h15 à 18h.
83 bis, rue de Courcelles, 17e. Tél. 01 42 27 63 32. M° Courcelles.
Ouvert du mardi au samedi 10h15 à 19h, et le lundi de 12h à 19h.
Internet : *www.culinarion.com*

Valeurs sûres. Sobre mais efficace, la sélection des boutiques Culinarion rendra grand service aux cuisiniers amateurs et avertis. Le point fort : des outils semi-pro et pro solides et efficaces comme cette machine en inox pour préparer des tagliatelles et les spaghettis frais à 64 €, une balance de cuisine précise et résistante en métal chromé (graduation par 10 g, pesée jusqu'à 2 kg) : 56 €, et des accessoires malins comme des plaques à pizza qui n'attachent pas ou le « pamplemousse express » qui, en une opération, découpe de parfaits quartiers de pamplemousse et d'orange, sans membranes apparentes (15 €). Aiguille à brider, lardoir, thermomètre pour le foie gras. Mais aussi du linge de cuisine, des robots ménagers... Le catalogue est disponible par téléphone, et consultable sur le site Internet.

La Carpe

14, rue Tronchet, 8e. Tél. 01 47 42 73 25. M° Madeleine. Ouvert du mardi au samedi de 9h30 à 19h.

E-mail : lacarpe@club-internet.fr

Bien préparer, mieux recevoir : telle est la devise de ce magasin depuis 1921. Tous les articles sont testés par l'équipe avant d'être sélectionnés. De bonnes marques, assez classiques, et un grand choix d'ustensiles et d'objets déco. Cuit-vapeur électrique Sigg à trois étages (136 €), wok électrique avec panier vapeur et support tempura, pour préparer de grands repas orientaux (152 €), vaisselle, robots, torchons, casseroles, ustensiles et accessoires... Les prix sont compétitifs et les conseils avisés. La maison fait aussi de la vente par correspondance ; demandez le catalogue par mail ou par téléphone.

Cuisine et Cuisinier ♥

76, boulevard Beaumarchais, 11e. Tél. 01 40 21 15 23. M° Chemin-Vert. Ouvert tous les jours de 10h à 19h30, sauf le dimanche.

Internet : www.cuisine-cuisinier.com

L'outillage des pros. La boutique, immense, est astucieusement aménagée. Les accessoires sont près de l'entrée : tout pour fouetter, battre, moudre, couper... On progresse ensuite dans le magasin pour arriver aux imposants et sublimes fourneaux Diva. Faire un choix dans cette boutique relève du supplice chinois... Des casseroles et des poêles (chez Pro-Inox ou Grand Gourmet : marmites, faitouts, sauteuses, cuit-pâtes, cuit-vapeur, poêles, couscoussiers, sautoirs, sauteuses coniques ou bombées), un automijoteur Staub en fonte, des couteaux Solingen (Rolls-Royce de la coutellerie), des moules et des ustensiles de pâtisserie de qualité... Les vendeurs charmants savent vous prodiguer leurs conseils avisés. La belle gamme Rössle d'ustensiles de cuisine à crochet avec tringles en inox ravira les adeptes de cuisine « ouverte ». Quant aux intrépides amateurs de barbecue urbain, ils trouveront un rayon entier pour s'offrir les plaisirs de la grillade en ville : grils japonais, grils en fonte, « chapeau tatare »... Les articles de la boutique sont réunis dans un très beau catalogue – trois mille références – qu'on peut se procurer sur place, par correspondance, par téléphone en appelant le 0825 04 48 49, ou encore sur le site Internet.

Francis Batt

180, avenue Victor-Hugo, 16e. Tél. 01 47 27 13 28. M° Rue-de-la-Pompe ou Victor-Hugo. Autre adresse : 22, rue des Huissiers, 92 Neuilly-sur-Seine. Tél. 01 47 22 98 20. M° Pont-de-Neuilly. Ouvert du mardi au samedi de 10h30 à 19h (du 1er février au 30 septembre) et du lundi au samedi de 10h30 à 19h (du 1er octobre au 31 janvier). Vente par correspondance possible, demander le catalogue.

Internet : *www.francisbatt.com*

NAP. Cette enseigne, installée depuis plus de vingt ans dans les beaux quartiers, souhaite apporter la qualité professionnelle aux particuliers. Les articles sélectionnés sont irréprochables et l'accueil charmant, à la hauteur des exigences de la clientèle. La maison ne fait ni dans l'originalité ni dans le design dernier cri ; ici, c'est du solide et du basique que vous trouverez. Robots ménagers Kitchen Aid ou Magimix ; couteaux Francis Batt inusables, en acier forgé massif. On trouve aussi les couteaux Fuso, aux lignes simples et fluides, et des couverts de table tout inox Laguiole. La boutique vend aussi tout un tas de petits accessoires et ustensiles de cuisine astucieux, presque excentriques dans leur sophistication : coupe-mozzarella, rouleau à pâtisserie réglable, épluche-ail rouleau, pince épile-poisson, gant à huître. Bien sûr, le chic a un prix...

Tout pour cuisiner asiatique

Tang Frères ♥

48, avenue d'Ivry, 13e. Tél. 01 45 70 80 00. M° Porte-d'Ivry. Ouvert tous les jours de 9h à 19h30 sauf le lundi.

Internet : *www.tang-freres.com*

Incontournable. Quel Parisien ne connaît cette enseigne ? Il y a ici tout le matériel pour cuisiner chinois and cheap dans la boutique de matériel et d'accessoires (déco, cuisine et divers) séparée du supermarché alimentaire qui se trouve juste à côté. Dans ce super-store chinois, vous trouverez des cocottes en terre cuite, des marmites à fondue, des baguettes en bois ou en plastique de toutes tailles (pour manger ou cuisiner), des passoires géantes (très pratique au quotidien), toute une gamme de woks à prix très doux (6,8 € le petit modèle jusqu'à 11 € le grand modèle), des rice cookers pour faire cuire le riz à la vapeur... Pour les fans de ravioli et autres plats à la vapeur, des paniers en bambous seront bien utiles. Enfin, vous ferez votre choix parmi tout un rayon de porcelaine bleue et blanche, classique mais que vous pourrez égayer de sets de table multicolores.

Exo-Store

52, avenue de Choisy, 13e. Tél. 01 44 24 99 88. M° Porte-de-Choisy. Ouvert du lundi au samedi de 8h30 à 19h.

Bon plan nippon... livré par des chefs japonais. On monte au premier étage de la boutique (dont le rez-de-chaussée est l'un des mieux achalandés en épicerie et alimentation asiatique et notamment japonaise de la capitale), et là, on passe outre le désordre ambiant pour dénicher des paniers-vapeur, des *rice cookers* importés du pays du Soleil-Levant, des baguettes, des marmites, et même un *electric hot pot* pour faire chez soi des vrais *shabu-shabu* ou *sukiyaki*, comme au restaurant ! Tout ça à des prix plus que raisonnables...

■ Et aussi...

Continental Marché

21, avenue d'Ivry, Paris 13e. Tél. 01 45 82 20 15. M° Porte-d'Ivry. Ouvert du lundi au samedi de 9h à 19h15.

Typique. Tous les produits alimentaires asiatiques, mais aussi des accessoires de cuisine chinoise (woks, paniers-vapeur, autocuiseurs...) et de la vaisselle.

Et aussi sur le Web...

Nos coups de cœur pour s'équiper chic, pro et pratique en quelques clics, prendre des idées, comparer avec les prix boutiques, rêver...

- *www.artisans-du-laguiole.com*
- *www.boutique-cuisine.com*
- *www.mathon-fr.com*

Mathon est un spécialiste du matériel et des ustensiles de cuisine professionnels pour particuliers. Livraison sous 48 heures.

www.vivrechic.com

3

C'est (presque) moi qui l'ai fait

Recevoir sans panique

Des pros aux petits soins

■ Un chef à domicile

Vous devez inviter chez vous votre immense belle-famille au baptême du petit dernier, recevoir vos collaborateurs dans un cadre intime pour éviter la lourdeur des ambiances de séminaire, fêter dignement votre anniversaire... mais vous ne savez pas cuisiner ou n'en n'avez pas le temps. Pas de panique, les nouveaux cuisiniers à domicile sont là, prêts à tout faire pour vous (même les courses), des amuse-bouche aux desserts, en toute discrétion. À la différence des traiteurs, ils préparent les plats dans votre cuisine et rien n'a l'allure ni le goût du réchauffé. Les cuisiniers à domicile d'aujourd'hui sont de vrais passionnés de gastronomie : créateurs de recettes, de savoir-faire, ils n'hésitent plus à partager leur passion avec leurs clients et font oublier le cliché du chef toqué et du maître d'hôtel hautain qui accueillaient et servaient les convives sans laisser transparaître l'ombre d'une émotion. Les prix par tête approchent souvent ceux d'un bon restaurant, mais recevoir dans son cadre, pour une occasion un peu exceptionnelle, vaut sans nul doute son pesant en euros. Sachez que l'agrément «préparation de repas au domicile des particuliers» est une prestation déductible d'impôts (déduction de 50 % des frais de main-d'œuvre, dans la limite de 6 860 € par an, selon la législation en vigueur). Il s'agit en effet d'un service contribuant à l'amélioration de la vie familiale.

Patricia cuisine à domicile ! ♥
Tél. 06 63 26 93 38.
E-mail : patricia.sustrac@free.fr
La tradition réinterprétée. «Tombée dedans quand elle était petite», c'est après avoir renoncé à sa carrière de prof de philo que Patricia Sustrac a choisi de titiller nos papilles. Au carrefour de plusieurs traditions culinaires, la cuisine de Patricia sent bon les épices. Elle n'hésite jamais devant les associations, toujours surprenantes et savoureuses; son foie gras perlé de gouttes de chocolat vous le prouvera. Bœuf mode à l'ancienne, pommes soufflées fondantes, soufflé de truite au vin jaune relevé d'épices, clafoutis de sot-l'y-laisse aux pétales de tomates et aux citrons confits,

gâteau au chocolat «à ma façon», glace à la vanille de Madagascar en coque d'ananas Victoria, petits financiers tièdes… En vraie cuisinière à domicile, Patricia s'occupe de tout : l'élaboration du menu en toute complicité avec vous, des courses chez les meilleurs artisans et des producteurs de confiance, la préparation et la cuisson des mets chez vous, le service au moment du repas – ou du cocktail – discret et attentionné, et une remise en état des lieux après la réception. Cerise sur le gâteau : une partie de la prestation (environ 6 € par menu) est déductible de vos impôts, en joignant l'attestation fiscale à votre déclaration d'impôts.

■ Menus à partir de 37,50 € par personne, pour 8 convives au minimum.

Chef Service

10, rue du Jour, 1er. Tél. 01 40 13 97 21.
Internet : *www.chef-service.com*

Pionnier d'un métier qui monte. Laurent Veyet, jeune chef plein d'idées et d'énergie, propose depuis 1996 différentes formules adaptées aux besoins des Parisiens gourmets mais débordés. Dans sa formule «Tout Compris», le chef s'occupe… de tout ! Vous choisissez votre menu et le chef fait les courses (ses fournisseurs sont ceux du quartier Montorgueil, parmi les meilleurs de la capitale). Puis, quatre ou cinq heures avant le repas, il investit votre cuisine, prépare ses plats et assure le service, se chargeant même de vous expliquer au besoin l'origine des produits de la recette, l'accord mets-vins, l'apport calorique de chaque recette… Pour finir, il remet la cuisine en état et s'éclipse discrètement. Les inspirations culinaires sont classiques. On goûtera une terrine de raie aux câpres, vinaigrette au citron ; des cuisses de canard confites à ma façon et pommes sarladaises ; un filet de saumon de Norvège cuit à l'unilatérale et petits légumes fondants ; un tartare de thon rouge coupé au couteau, moutarde à l'ancienne et mesclun, et pour le dessert une tarte Tatin aux mangues, une crème brûlée parfumée aux zestes d'oranges ou encore un moelleux au chocolat noir, praliné, noisettes caramélisées et coulis de framboise… Laurent Veyet se déplace à partir de deux personnes. On peut également opter pour une formule «Paniers recettes» : vous choisissez le panier contenant le menu qui vous convient, puis le chef prépare tout ce qu'il faut pour la cuisiner. Il vous porte à domicile les ingrédients pesés et préparés, accompagnés d'une recette claire et simple. À vous de jouer !

■ Compter au minimum 30 € par convive pour le menu découverte (de 10 à 14 personnes). Paniers recettes : à partir de 40 € le panier pour 6-8 personnes. Pour plus de détails, consultez le site Internet, très complet.

Les Dîners Chics
17, rue du Croissant, 2e. M° Sentier. Tél. 01 42 36 04 13.
Show-room ouvert du lundi au samedi de 9h à 19h.

Chic alors ! Le sens de l'initiative et du service, Frédéric Zucchiati l'a sans nul doute. Son activité de chef à domicile le prouve : il fait les courses pour vous, prépare les petits plats, fait le service du dîner et vous rend votre cuisine impeccable. Le menu Dîner en ville ? Terrine de saint-jacques à la crème de basilic, croustade florentine et salade de roquette, saumon sauvage aux baies roses et au champagne accompagné de tagliatelles et de courgettes fraisées, fromages et un tiramisù, le tout pour 40 € par personne, boissons et maître d'hôtel non compris. Si vous n'avez pas tout l'équipement nécessaire pour la préparation de telles merveilles, les Dîners chics peuvent aussi en mettre à votre disposition. Il faut prévenir Frédéric au moins cinq jours à l'avance, pour que les courses soient faites et les employés disponibles. Vous pouvez venir consulter la carte rue du Croissant, au show-room qui sert aussi de salle de réception, aménagée tout pour vous. Idée gourmande dès le matin, Les Dîners Chics organisent des petits déjeuners dans les entreprises à des prix à peine différents de ceux d'un resto (de 6,42 à 14 €). Il faut en tous les cas un minimum de douze convives par réception.

Le Festin d'Ève ♥
Ève Tribouillet, 9, rue des Iris, 13e. Tél. 01 45 89 20 40 et 06 82 68 55 56.
E-mail : evetribouillet@idea4u.com

Raffinée et généreuse, Ève est intarissable quand elle se met à parler de cuisine, sa passion et ses clients en sont les premiers ravis. Tout d'abord, Ève se rend chez vous pour se faire une idée du matériel dont elle dispose sur place et du décor de votre intérieur.

Ensuite elle vous demande de lui parler de l'occasion, des invités et des enjeux éventuels de la réception. À la suite de cet entretien, Ève propose un menu personnalisé et s'occupera de tous les petits détails de la réception (courses, préparation, livraison…) jusqu'à l'organisation plus lourde de la logistique de la réception (fleurs, location de matériel, personnel de service et de bar…). Préparés dans le laboratoire du chef, les plats sont terminés sur place et décorés au dernier moment. *Last but not least,* Ève vous rendra une cuisine pimpante et fraîche. Un petit aperçu du festin d'Ève : tartelette fine au pesto de roquette et tartare de langoustines, minipastilla au confit de canard, tempura d'asperges au fromage de chèvre, papillotes de cabillaud au gingembre et réglisse dans une feuille de bananier, gigot en croûte de pain d'épices et légumes confits, canard à la lavande et pommes golden caramélisées. Et pour le dessert, vous hésiterez sans doute entre sa variation autour de la poire, ses pots de crème à l'agastache bleue, et sa glace à la rose et au gingembre confit.

■ Le client indique son budget, et le menu sera élaboré en fonction. Il faut compter au minimum 47 € par convive en dîner assis et 43 € en cocktail.

Maxmijote

Maxime Ogus et Nicolas Vaxelaire, 22, rue Camille-Pelletan, 92300 Levallois-Perret. Tél. 01 47 31 56 43.

Internet : *www.maxmijote.com*

Épices et délices. Un sauté de grosses crevettes au lait de coco et au gingembre avec sa salade croquante de soja en entrée, une pintade fermière rôtie, ananas caramélisé et son riz au raisin et aux amandes grillées en plat principal, et, pour finir, un soufflé tiède au citron vert, servi avec son coulis de mangue, ça vous tenterait comme dîner chez vous ? Max les mijotera dans votre cuisine, avec plaisir. Trois formules au choix : soit il gère tout de A à Z (les courses, la préparation, la vaisselle…), soit vous faites les courses et il vient cuisiner chez vous et servir les plats ou enfin il n'intervient qu'en cuisine et vous faites le service vous-même… Un excellent rapport qualité-prix quelle que soit la formule choisie.

■ À partir de 110 € pour une intervention en cuisine seule, pour un dîner de six ou sept personnes.

■ Des traiteurs sachant bien vous traiter

De nombreux traiteurs se disputent le marché des réceptions dans la capitale. Des ultraclassiques aux plus excentriques, ils font malheureusement peu d'efforts pour personnaliser leurs services. La lassitude gagne les yeux et le palais. Les traiteurs sélectionnés ci-dessous ont le parti pris de la vraie bonne bouffe, tendance fooding, et s'accordent une pointe d'exotisme. Vous organisez un dîner de rois pour vingt convives, une soirée pour trois cents personnes ? Faites appel à ces pros pour lesquels vous n'êtes pas un simple numéro.

The Catering Company

142, rue de Rivoli, 1er. Tél. 01 45 23 18 68 et 06 11 48 55 25.
Internet : *www.the-catering-company.fr*
Efficacité inventive. Après des débuts prometteurs à New York, c'est à Paris que l'équipe de Catering Company s'installe en 1996. Les menus sont faits sur mesure et les saveurs sont étonnantes sans excentricité. Les produits utilisés, souvent bio, sont d'une grande fraîcheur. Aussi belles que bonnes, les créations sauront en surprendre plus d'un. Les mélanges de saveurs, la précision des préparations et le chic entêtant de l'ensemble vous vaudront l'admiration éperdue de vos invités. Attention, prévenir au moins une semaine à l'avance.
■ Compter 100 € par personne pour un dîner, service compris. Dîners pour au moins 30 personnes et cocktails pour 50 personnes au minimum.

Nomad

40, quai de Jemmapes, 10e. Tél. 01 42 01 03 13.
Internet : *www.nomad-reception.com*
United savors of the world. Un traiteur *fooding* et fier de l'être. Attention les papilles, attention les yeux ! Les petites bouchées de cocktail risquent de ne pas faire long feu sur les (superbes) buffets dressés par les décorateurs bien inspirés de cette maison-traiteur, tant le souci de personnalisation et le sens du détail sont élevés. L'inspiration est world, mais en nuances : Afrique, Amérique du Sud, Inde, Japon, Proche-Orient, Italie... Ce n'est pas par hasard que les

maisons Kenzo et Dior sont des clientes régulières de Nomad, dont les tarifs ne sont néanmoins pas si haute couture qu'on pourrait l'imaginer. Tentés par un menu «Saveurs du Sud»? Vous dégusterez alors un buffet de crostini à la tomate et à l'origan, de millefeuille de tomate et de buffala au balsamique, de mini-ficelle grillée au gorgonzola, de grenaille farcie à la purée d'olive, etc. Prix sur devis.

■ Louez du (beau) matériel

Options ♥
21, rue Gros, 16e. M° Michel-Ange-Auteuil. Tél. 01 42 24 11 00.
Ouvert du lundi au vendredi de 10h à 18h30 et le samedi de 10h à 17h30.
Internet : *www.options.fr*
Une référence. Une belle et bonne nouvelle : le matériel de réception à louer est désormais joli. Assorti à vos dîners du bout du monde, Options loue tout le matériel et la vaisselle qui va avec : des chaises, des tables, des verres, un service de table pour le couscous, des plats à tajine, de la vaisselle japonaise. De la nappe à la fourchette, en passant par le barbecue et le chauffage de votre terrasse, et même du mobilier en teck pour vos sun-parties (belle collection «Prélude d'été»), tout se loue chez le très chic et prisé Options... Faites votre choix à la boutique-show-room, on vous livre, vous rendez tout en l'état, et Options se charge de faire la vaisselle. Un service, une qualité et une esthétique irréprochables à des tarifs raisonnables.

Aktuel
5, rue des Alouettes, sénia 209, 94527 Thiais Cedex. Tél. 01 41 80 30 30.
Ouvert du lundi au vendredi de 8h à 19h et le samedi de 8h à 12h.
Internet : *www.aktuel.fr*
Jetable. Chez Aktuel, on trouve tout un tas d'articles jetables (sympa pour un grand pique-nique), des assiettes de tous styles, des verres, des couverts, et même du nappage à vos mesures. Également disponibles, des plats de toute forme et de toute contenance, des accessoires pour votre buffet et tout le mobilier (chaises et bancs, accessoires, tables et buffets). On a aimé la jolie collection d'assiettes en osier, les verrines de couleur et les bougies, et la collection «Asie» pour recevoir chinois sans fausse note.

■ Et aussi...

Kiloutou

ZAC de la Croix-Blanche, 91700 Sainte-Geneviève-des-Bois.
Tél. 01 69 25 59 00. Ouvert du lundi au vendredi de 7 h à 12h15 et de
13h45 à 18h30, le samedi à partir de 8h.
Internet : www.kiloutou.fr
Sans surprise. En région parisienne, c'est la seule agence à louer assiettes, verres et couverts pour vos réceptions, ainsi que des modèles de chaises et de tables. La sélection est sobre, classique et les prix raisonnables. Appeler avant de passer.

Duquesne service

Rue Fontenelle, ZI du Petit-Parc, 78920 Écquevilly. Tél. 01 34 75 59 60.
Ouvert du lundi au vendredi de 8hà 12h et de 14h à 18h, le samedi de
8h à 12h.
Pratique. Grand choix de vaisselle, de mobilier pratique et des accessoires à louer plus inattendus comme des machines à pop-corn ou à barbe à papa. Bons prix.

Petits repas : improvisez malin

Au menu d'un dîner improvisé : un plat déjà prêt (à se faire livrer ou à emporter), y ajouter sa note personnelle, confectionner soi-même l'entrée ou le dessert... Ensuite, étendez les plaids sur les canapés, dressez la table, sortez vos plus belles assiettes en carton de couleur, quelques bougies par-ci, par-là pour l'ambiance... et recevez enfin dans le calme et la bonne humeur ! Exotique ou terroir, piochez ci-dessous quelques idées de dîners improvisés.

■ Saveurs d'ici : terroir et tradition

Au Duc de Montmorency

46, rue de Montmorency, 3e. M° Arts-et-Métiers. Tél. 01 42 72 18 10.
Ouvert du lundi au samedi de 9h à 21 h.
Élaboré. Une adresse mode et pleine de charme qui succède à une épicerie à l'ancienne qui préparait déjà des plats chauds pour les

travailleurs du quartier. Il y a plus d'ambition aujourd'hui chez notre duc, qui fabrique des plats du jour aussi bons que ceux d'un restaurant de qualité : potage du jour, pâtes fraîches, cassolette de gésiers de dinde, bœuf bourguignon, sauté de veau au vinaigre de framboise... La part à emporter : 5,40 €, sur place : 6,10 €.

Laffitte

8, rue Jean-du-Bellay, 4e. Tél. 01 43 26 08 63. M° Pont-Marie.
Ouvert tous les jours de 10h à 13h30 et de 14h30 à 19h30 sauf les dimanches et lundis.
Best of Sud-Ouest. Cassoulet, lamproie à la bordelaise, confit de canard à réchauffer ainsi que les meilleurs foies gras de Paris (82 € le kilo de mi-cuit) : il y a ici tout pour satisfaire les appétits les plus féroces ! On n'oubliera pas de faire quelques réserves d'un excellent magret de canard séché : sur trois feuilles de salade, c'est toujours du meilleur effet. Très bon rapport qualité-prix.

A la Ville de Rodez

22, rue Vieille-du-Temple, 4e. Tél. 01 48 87 79 36. M° Hôtel-de-Ville.
Ouvert tous les jours de 8h à 13h et de 15h à 20h sauf les dimanches et lundis.
Rouergue et Auvergne. Il y a ici de quoi faire pour remplir les estomacs affamés de vos convives d'un soir : chou farci, fouace de Laguiole (délicieuse brioche parfumée à l'eau de fleur d'oranger), pounti (sorte de flan salé aux légumes verts), aligot frais, sans parler du fameux cantal. Toutes les spécialités du Massif central !

Charcutier Coesnon ♥

30, rue Dauphine, 6e. Tél. 01 43 54 35 80. M° Odéon ou Pont-Neuf.
Ouvert tous les jours de 9h à 19h30 sauf le dimanche.
Le roi du boudin. Spécialiste de boudin blanc ou noir et de charcuterie traditionnelle, Bernard Marchaudon mitonne aussi quelques succulents plats du jour : gratin de tomates-courgettes (4,95 € la part), rôti de porc farci au pruneaux, sauté de veau Marengo (de 24 à 32 € le kilo) qui feront bien l'affaire pour un dîner improvisé. Les tartes sucrées (fraises des bois, quetsches) ou salées méritent aussi le détour.

Charcuterie Gilles Vérot

3, rue Notre-Dame-des-Champs, 6e. Tél. 01 43 38 83 32. M° Notre-Dame-des-Champs. Ouvert tous les jours de 8h à 19h30 sauf les dimanches et lundis. Fermeture annuelle à Pâques et en août.

Tête de lard. Le champion du fromage de tête à Paris, c'est lui… et ses autres spécialités charcutières n'en sont pas moins réussies : andouillette de Troyes, saucisson de Lyon ou à l'ail, jambon à l'os. Les pâtés et terrines valent le détour. Également des plats cuisinés qui rendent bien service.

Rouge crème ♥

46, rue Madame, 6e. M° Saint-Sulpice. Tél. 01 45 44 11 00.
Ouvert du mardi au samedi de 9h30 à 20h30 sans interruption et le dimanche de 10h à 13h.
4, rue Poirier-de-Narçay, 14e. M° Porte-d'Orléans. Tél. 01 40 44 86 75.
Ouvert du mardi au samedi de 9h30 à 13h et de 16h à 20h30.

Fromage et Vin. Tout pour composer un repas fromage-vin-pain raffiné se trouve dans cette boutique dédiée à cette heureuse association. La maison possède sa propre cave d'affinage et ne propose que des fromages de saison. Les chèvres sont livrés directement de fermes de Touraine, de l'Orne et de Bretagne, et les bries sont affinés à cœur.

La Cigogne

61, rue de l'Arcade, 8e. Tél. 01 43 87 39 16. M° Saint-Lazare. Ouvert tous les jours de 8h30 à 19h, fermé samedi et dimanche et en août.

Le meilleur de l'Alsace. Une excellente choucroute (formule complète pour 1 personne : 6,40 €), du pâté lorrain (farce au veau et au porc marinés au vin blanc et à l'échalote, 3,60 € la part) de la tarte à l'oignon fondante (3,20 €), on en passe et des meilleures… Pour accompagner le tout : pain au cumin, pain allemand noir, pain au pavot, de la charcuterie Kirn - le Fauchon strasbourgeois - et les meilleurs vins d'Alsace : riesling, sylvaner, tokay gris… Une tradition de bonne chère perpétuée depuis 1892.

Schmid

76, bd de Strasbourg, 10e. Tél. 01 46 07 99 02. M° Gare-de-l'Est.
Ouvert du lundi au jeudi 9h30 à 19h, le vendredi 9h à 19h, le samedi de 8h30 à 18h45, fermé le dimanche.

En direct de Mulhouse. Depuis 1904, une généreuse et fine choucroute cuisinée au riesling ou au champagne à Mulhouse, accompagnée des mythiques charcuteries Tempé, arrive tous les jours à Paris pour caler les ventres les plus affamés. On peut choisir une formule classique ou tenter les saucisses au cumin, la bratwurst blanche au veau et au porc, la nuremberg à la marjolaine… Compter de 8 à 10 € par personne.

La Maison de l'Escargot

79, rue Fondary, 15e. Tél. 01 45 75 31 09. M° Avenue-Émile-Zola.
Ouvert tous les jours de 9h30 à 19h30 sauf le lundi.

Gastéropodes. Depuis 1884, c'est ici un passage obligé pour les mordus de petits-gris beurrés et d'escargots de Bourgogne. La fabrication artisanale garantit des produits d'une grande saveur… On trouve également de quoi accompagner les gastéropodes à table : vins, beurre, fourchettes, pinces et plats.

Et pourquoi pas un dîner fromages, un beau plateau, une salade et du vin ? Le tour est joué ! Voir p. 91 nos meilleures adresses fromages de Paris.

Et sur le Web…

Une envie de crevettes, de langoustines, de crabe, de bulots ou de bigorneaux vous tenaille ? Des plateaux de fruits de mer aux noms bretons évocateurs chez vous en quelques clics : le Saint-Malo, le Trouville, le Belle-Île… Le processus de commande est très simple, et on est livré dans la journée.

www.citronmer.fr *(ou au 0811 25 11 11)*

■ Saveurs bio : pour les copains végétariens

Grand Appétit

9, rue de la Cerisaie, Paris 4e. Tél. 01 40 27 04 95. M° Bastille. Ouvert de 9h30 à 19h30, sauf vendredi et dimanche de 9h30 à 16h. Fermé le samedi.
Tendance bio, oui, mais avec discernement. Les produits sont choisis par conviction et non par effet de mode. C'est convaincant et ça donne envie de se convertir à une alimentation veggie… Goûtez un peu aux spécialités bio du resto (et notamment aux tartes aux légumes), vous ne repartirez pas sans avoir fait quelques emplettes à l'épicerie attenante : fruits et légumes, légumes secs, céréales en veux-tu, en voilà, huiles et tofu…

Guen Maï ♥

6, rue Cardinale, 6e. Tél. 01 43 26 03 24. M° Odéon. Ouvert tous les jours sauf le dimanche de 9h à 20h30 (restaurant de 11h45 à 15h30).
Bio et branché. Nichée au cœur du quartier Odéon, cette petite épicerie bio qui fait aussi resto à déjeuner attire une clientèle hype venue déguster des assiettes composées délicieuses. On y croise Arno Klarsfeld venu en rollers, Géraldine Chaplin, Carla Bruni en voisine… On peut emporter chez soi des assiettes (crudités, salade verte, céréales, légumineuses), des légumes vapeur ou grillés, du seitan ou du tofu, voire du poisson vapeur… Aussi belles que bonnes, ces assiettes remportent un franc succès, même auprès de ces messieurs au grand appétit ! À emporter également, les tartes aux légumes et aux fruits du jour. C'est selon l'inspiration ! Les soupes miso aussi sont excellentes. La petite épicerie bio à l'entrée propose aussi pain, fruits, légumes, conserves, tofu, sauces… La totale pour cuisiner bio.

L'Épicerie Verte

5, rue Saussier-Leroy, 17e. Tél. 01 47 64 19 68. M° Ternes. Ouvert du lundi au samedi de 10h à 20h (restaurant de 12h à 19h).
Bel et bien verte. Voilà deux décennies que cette épicerie bio tient le haut du pavé dans le quartier. On y vient de loin ! Emportez de succulents plats faits maison : des tartes, des tourtes, des crudités… selon l'inspiration du jour (tarte aux poireaux, carottes et fenouil, gratin épeautre-avoine-orge-courge-potimarron-auber-

gines). Les salades brillent par leur fraîcheur (crudités, germes et pousses divers). Les desserts sont simples mais succulents : far aux pruneaux, crème caramel, tarte au chocolat. Tout est cuisiné sur place. L'épicerie propose un beau choix de produits frais (fruits et légumes frais, viandes bio, petits fromages frais, yaourts, pizzas bio...) et tous les produits de base pour cuisiner bio at home : levure de bière, muesli, céréales, riz et pâtes.

■ Saveurs d'ailleurs : voyages gourmands à domicile

Sacha Finkelsztajn – La Boutique Jaune ♥

27, rue des Rosiers, 4e. Tél. 01 42 72 78 91. M° Saint-Paul. Ouvert tous les jours sauf les lundi et mardi de 10h à 19h, sans interruption.
Delikatessen. Depuis 1946, la famille Finkelsztajn perpétue la tradition culinaire yiddish. Initialement boulangerie, la maison propose, outre ses pains spéciaux succulents au seigle noir, au cumin, au sésame, aux oignons rissolés, des spécialités cuisinées irréprochables : pastrami, pied de veau en gelée (craco), mais aussi tarama, caviar d'aubergines et autres delikatessen qui ravissent les palais les plus exigeants.

■ Et aussi...

Florence Finkelsztajn

24, rue des Écouffes, 4e. M° Saint-Paul. Tél. 01 48 87 92 85. Ouvert tous les jours de 10h à 13h et de 15h à 19h30 sauf le mercredi.
Yiddish. Voir page 93.

Les Sommets de l'Himalaya

73, rue Saint-Martin, 4e. Tél. 01 44 59 37 76. M° Hôtel-de-Ville ou Rambuteau. Ouvert tous les jours de 12h à 14h30 et de 19h à 23h30.
Indien. Plats végétariens (curry de légumes aux épices, curry de pommes de terre aux épinards), pains maison ou nan, tous les plats indiens à base d'agneau ou de poulet, sans oublier une pléthore d'entrées savoureuses (beignets, samosa, agneau tikka, gambas tandoori...) et lassi rafraîchissants : tout y est ! C'est bon, et vite livré en un peu plus de 30 minutes. Un bon plan en cas de dîner à l'improviste.

Frascati ♥

14, rue de Turenne, 4e. Tél. 01 42 77 27 42. M° Saint-Paul. Ouvert du lundi au vendredi de 10h30 à 15h et de 17h à 20h et le samedi de 11h à 18h.

Tutta Italia. Probablement la plus belle et la meilleure des épiceries italiennes à Paris. Une adresse que les amateurs de sandwiches italiens succulents connaissent bien. Et si la formule dîner-sandwiches vous rebute encore, choisissez à l'excellent rayon traiteur : antipasti variés, plats cuisinés et pasta comme là-bas, fromages et charcuteries diverses.

Mavrommatis Traiteur

47-49, rue Censier, 5e. Tél. 01 45 35 96 50. M° Censier-Daubenton. Ouvert tous les jours de 9h à 22h.
Internet : www.mavrommatis.fr

Kali orexi. La gastronomie grecque la vraie, la bonne ! Faites votre choix : assiette composée, plateau tradition ou bien plateau prestige. Avec le plateau Milo (8,85 €), vous dégusterez du tarama, du taboulé, du tzatziki, des aubergines fumées, des feuilles de vigne farcies au riz et aux pignons. Avec le plateau Hydra (9,45 €), vous vous régalerez de boulettes de viande à la menthe, de tzatziki, de salade grecque, d'artichauts à l'huile d'olive et de légumes grillés. Il faut commander la veille avant 18h. Tous les plateaux sont visibles sur le site Internet.

Le Traiteur des Seychelles - Au Café des Îles

111, rue Monge, 5e. Tél. 01 47 07 55 55. M° Censier-Daubenton. Ouvert tous les jours sauf le dimanche et le lundi. Livraison à domicile tous les jours, pour un minimum de 10 personnes (commander la veille).
Internet : www.seychelles-saveurs.com

Paradisiaque. L'annexe du restaurant Coco de Mer (bd Saint-Marcel) vous propose des saveurs exotiques au bon goût de cocotiers et de sable chaud... Une fois par semaine, un vol direct en provenance des Seychelles livre le restaurant et le traiteur. Le jeune chef Pierre Frichot mitonne des poissons marinés ultrafrais, des caris zourites (poulpe), du rougail de saucisse, du curry d'agneau aux aubergines... On dégustera pour finir en douceur(s) une mousse de mangue ou un entremet à la noix de coco. Compter 15 € par personne pour une entrée, un plat, et un dessert.

Okamé ♥

235, rue du Faubourg-Saint-Honoré, 8e. Tél. 01 46 22 95 03. M° Ternes.
Ouvert du lundi au vendredi de 11h à 20h et le samedi de 12h à 20h.

Chauds les bento ! Un traiteur japonais dont la réputation déborde
les limites du 8e arrondissement. On traverse tout Paris pour venir
chercher des plateaux-repas ou *bento* aux saveurs surprenantes qui
feront office de dîner improvisé : fritures de crevettes, de poulet,
porc, ou saumon grillé accompagnées de légumes — et du riz, très
beau, très frais, très copieux. Les *sushi* à emporter valent également le détour : préparés sur place par le chef en action, ils sont
remarquables de fraîcheur et de saveur. Bon accueil. Petit bento :
10 €, grand : 13 €.

Olsen

6, rue du Commandant-Rivière, 8e. Tél. 01 45 61 43 10. M° Saint-Philippe-
du-Roule. Ouvert le lundi de 9h à 19h, du mardi au vendredi de 9h à
19h30, le samedi de 10h à 19h. Fermé le dimanche et le soir.

Toute la mer du Nord. En provenance directe de l'île de Bornholm,
en mer Baltique, le saumon danois Olsen est sauvage, naturel (il
n'est pas nourri aux farines animales) et savoureux, la fumaison
traditionnelle étant pratiquée sur le lieu même de la pêche. Mariné,
en sauce, fumé, le saumon est ici bien sûr à l'honneur, mais harengs
à la sauce sucrée, *gravadlaks*, truites fumées et marinées, flétan,
morue, anguille, espadon, tous également en provenance direct du
Danemark, se retrouvent dans l'une des quinze assiettes froides de
poissons fumés à déguster avec du pain noir et leurs sauces (entre
9 et 12,50 €) à emporter ou à se faire livrer. Une très belle choucroute de la mer (8,50 € par personne) et d'autres plats typiques
préparés sur place feront également sensation si vous recevez chez
vous à l'improviste.

Allô Couscous

70, rue Alexandre-Dumas, 11e. Tél. 01 43 70 82 83. Ouvert tous les jours
de 11h à 14h et de 18h à 22h.
Internet : *www.allo-couscous.fr*

Home-made couscous. Depuis 1983 que la famille Halimi livre ses
couscous dans la capitale, la réputation de la maison ne fait que
grandir. Maman cuisine et les fils livrent. Couscous royal, agneau,

poulet, bœuf ou merguez : ils sont livrés tout chauds chez vous dans leur couscoussier. Très frais, très copieux et vraiment fait maison. Idéal pour se réchauffer entre copains, prix par personne entre 10,50 € (poulet, bœuf agneau, merguez) et 12,50 € pour le royal. Vraiment un bon « allô »... pour une fois !

Comme des poissons ♥

24, rue de la Tour, 16e. Tél. 01 45 20 70 37. M° Passy. Ouvert tous les jours de 12h à 15h et de 17h à 21h sauf le lundi et le dimanche midi.

Pour *sushi*-fans. S'il fallait une cantine pour sushimaniaques, ce serait sans doute l'endroit rêvé... Certains parlent même du meilleur sushi-bar de Paris. M. Kino, le sympathique chef, connaît tout de la cuisine japonaise. Ici, tout est bon, ultrafrais et bien dosé. : salade de fruits de mer, sushi (à partir de 14 € par plateau) et sashimi variés, saumon sauce du chef... Vous pouvez emporter tout ça pour un tarif plus qu'abordable ou vous faire livrer (mais dans le 16e arrondissement seulement). Pour vos cocktails ou dîners japonisants, le chef vous prépare de jolis plateaux de réception si vous commandez quelques jours à l'avance (dans ce cas, on vous livre partout dans Paris).

L'Épicerie russe

3, rue Gustave-Courbet, 16e. Tél. 01 45 53 46 46. M° Passy ou Trocadéro. Ouvert tous les jours sauf dimanche de 10h à 24h, lundi de 18h à minuit. 13, rue de la Terrasse, 17e. Tél. 01 40 54 04 05. M° Villiers. Ouvert du lundi au samedi de 10h à 15h et de 17h à minuit.

Merveilles russes. Amateurs de blinis, de caviar et autres pirojki (feuilletés à la viande, au fromage ou aux champignons), fondez aussi pour les koulibiac de saumon, tentez le bœuf Strogonoff (20 € le kg), ou essayez le bortsch ou les autres délices de cette épicerie-traiteur. Plus de soixante variétés de vodka, à la cerise sucrée, à la cannelle... vous permettront de finir en beauté votre soirée « Docteur Jivago ». L'Épicerie russe ne livre pas mais fait de longs nocturnes.

Le Stübli Delikatessen

10, rue Poncelet, 17e. Tél. 01 48 88 98 07. M° Ternes. Ouvert du mardi au samedi de 9h à 19h30 et le dimanche de 9h à 13h.
Internet : *www.stubli.com*

Autriche-Allemagne. Choucroute douce à l'allemande cuite aux pommes, légère et sans acidité, grand choix de saucisses d'excellente qualité, *fleischstrudel* (roulé à la viande) et tomates légèrement parfumées au paprika et au carvi, *rösti* de légumes... Tout est frais et à emporter chez ce commerçant, pilier du quartier, après les courses au marché Poncelet.

L'Asie à votre table - Antilles chez toi !

30, rue Gabriel-Péri, 93310 Le Pré-Saint-Gervais. Tél. 01 48 40 50 30.
Internet : *www.asita-sa.com*

Asie-Antilles. Créé en 1970 par Laurence Nguyen, le traiteur L'Asie à votre table a depuis fait des petits, dont Antilles chez toi ! Les spécialités sont excellentes et les produits extrafrais. Plusieurs formules de plateaux-repas pour s'initier aux saveurs de la cuisine chinoise, vietnamienne, thaïe, cambodgienne, laotienne ou indonésienne : du poulet pimenté au citron (8,75 €), des crevettes thaï au basilic (13,50 €)... Les spécialités créoles sont d'un très bon niveau. Pas de magasin : commander par téléphone ou par Internet.

Tout pour dresser une jolie table

■ Créez votre service de table

Porcelaines de Paris

4, rue de la Bastille, 4e. Tél. 01 49 96 40 40. M° Bastille. Ouvert le lundi de 14h à 19h et du mardi au samedi de 10h à 19h.

Tradition française. Une maison haut de gamme, créée en 1773, qui travaille dans ses ateliers du Cher la porcelaine blanche de Limoges. On vous propose aussi une grande gamme de motifs pour personnaliser votre vaisselle. Le petit plus : la maison peut reproduire dessin ou logo. Prix sur devis en fonction de vos exigences. Une bonne adresse également pour apprendre à peindre sur porcelaine (se renseigner par téléphone pour les cours).

Pièces uniques
10, rue Bouchut, 15e. Tél. 01 47 83 76 56. M° Ségur. Ouvert du lundi au vendredi de 9h30 à 20h.

Exclusif. On trouve dans cette boutique-atelier des modèles exclusifs et sur mesure de vaisselle en porcelaine et en faïence. On réalise également toute commande spéciale, au gré de vos envies de formes, de motifs, de couleurs.

Petit modèle au singulier ♥
7, rue Erlanger, 16e. Tél. 01 40 50 69 38. M° Michel-Ange-Auteuil. Ouvert du lundi au samedi de 9h30 à 12h et de 14h à 18h30, sauf le mercredi.

Sur mesure. Ras le bol des assiettes et des plats vus et revus partout et chez tout le monde ? Dans ce magasin-atelier, vous trouverez de belles lignes de porcelaine peintes aux lignes modernes et pures. On vous propose de créer la vaisselle de vos rêves : Patricia et Martine vous font choisir parmi soixante-dix couleurs (rouge pétard, rose bonbon, bleu layette, vert anis, aubergine trop chic) et trente modèles. Il faut compter entre trois jours pour une pièce simple et trois semaines pour un service complet (à partir de 25 € pour une belle assiette).

■ Table des grands soirs, éphémère ou quotidienne

Muji
Forum des Halles, niveau – 2, sortie Rambuteau, 1er. Tél. 01 44 88 56 56. M° Les Halles.
47, rue des Francs-Bourgeois, 4e. Tél. 01 49 96 41 41. M° Saint-Paul.
27 et 30, rue Saint-Sulpice, 6e. Tél. 01 46 34 01 10. M° Mabillon.
Ouvert du lundi au samedi de 10h à 19h30.

Essentiel. Simplicité et fonctionnalité sont les maîtres mots de cette enseigne japonaise qui rechigne à logotiser ses créations. Des modèles basiques et des matériaux (inox, aluminium, polypropylène) qui vont avec tout et son contraire. Le tablier en coton des vendeurs, à grandes poches, est devenu un classique. Assiette, couvert, passoire, louche, l'objet le plus quotidien est ici un élément de décor. On trouve aussi bien sûr de la vaisselle japonaise tradi-design… Incontournable.

Décor de cuisine

32-34-36, Galerie Vivienne, 2e. Tél. 01 49 27 00 56. M° Pyramides ou Palais-Royal. Ouvert tous les jours de 11h à 18h30, sauf les dimanches et lundis matins.

Rétro chic. Les gastronomes ont enfin leur boutique d'antiquités à Paris. À défaut d'aller chiner aux puces de Saint-Ouen chez Bachelier et ses voisins quelques belles pièces de cuisine anciennes, rendez-vous galerie Vivienne où pêle-mêle se trouvent billots en bois (686 €), vaisseliers *sixties*, poêles à bois en fonte, étagères à épices, cafetières émaillées, services en faïence décorée... Un certain budget est nécessaire pour s'équiper ici, mais la boutique vaut le coup d'œil.

Chône

60, rue Vieille-du-Temple, 3e. Tél. 01 44 78 90 00. M° Hôtel-de-Ville. Ouvert du mardi au dimanche de 11h à 19h30.

Pureté scandinave. Toutes les grandes marques de verrerie et d'art de la table scandinaves se retrouvent dans cet espace minimaliste et zen. Une étonnante sélection de verres, des couverts de table en inox brossé, des carafes originales et design, des vases...

Bô

8, rue Saint-Merri, 4e. Tél. 01 42 72 85 65. M° Hôtel-de-Ville ou Rambuteau. Ouvert du lundi au samedi de 11h à 20 et le dimanche de 14h à 20h.

Uni. Une sélection «jeunes créateurs» qui fait la part belle à l'uni, aux formes simples et aux couleurs toniques.

Cuisinophilie

28 rue du Bourg-Tibourg, 4e. Tél. 01 40 29 07 32. M° Hôtel-de-Ville. Ouvert du mardi au vendredi de 14h à 19h.

Rétro. Dans un décor de petit loft, une sélection d'accessoires pour la table : pot à lait en aluminium, vieille balance, cafetières en tôle émaillée, ustensiles en aluminium, lots de boîtes, grande cafetière de bar, moules à gâteau et petite collection d'objets utilitaires en faïence et en porcelaine.

Galerie Sentou ♥

18, rue du Pont-Louis-Philippe, 4e. Tél. 01 42 77 44 79. M° Saint-Paul ou Pont-Marie. Ouvert du mardi au vendredi de 11h à 14 h et de 15h à 19h, journée continue le samedi.

26, bd Raspail, 7e. Tél. 01 45 49 00 05. M° Sèvres-Babylone ou Rue-du-Bac. Ouvert du mardi au samedi de 11 h à 19 h, le lundi de 14h à 19h. Ces deux boutiques sont plus particulièrement dédiées aux arts de la table.

Esthétique contemporaine. Une sélection originale et colorée de vaisselles design et tendance. En bref, celles du moment qu'on aime (s')offrir en étant sûr de ne pas se tromper. On aime ici tout particulièrement les couverts SNCF Roger Tallon (fourchette, cuillère et couteau), les assiettes à motifs de 100drine, fraîches et très drôles, toute la collection Tsé & Tsé et la gamme imaginée par le Japonais Sugahara (les assiettes carrées en verre dépoli ou translucide sont du plus bel effet).

Démodés, les Tupperware ?

Douze millions de Tupperware par an vendus rien qu'en France, il y en bien un qui traîne dans vos placards de cuisine ! Les bonnes vieilles boîtes en polyéthylène moulé au look pastel dépoli que nos mamans achetaient chez leurs copines sont plus que jamais remises au goût du jour. La galerie Sentou leur a en effet ouvert ses portes à l'automne 2000, à l'occasion des quarante ans de la marque. Une expo très médiatisée, dont la scénographie délirante a été savamment orchestrée par le célèbre duo de designers Tsé & Tsé.

Quartz

12, rue des Quatre-Vents, 6e. Tél. 01 43 54 03 00. M° Odéon. Ouvert du mardi au samedi de 11h à 19h30. Fermeture annuelle en août.

Éclat. Ses détracteurs reprochent à cette boutique son air «glaciaire», ses adorateurs louent la pureté de ses objets en verre (vases, vaisselle, verres, petits objets de table), largement déclinés dans toutes les couleurs et formes.

Xanadou

10, rue Saint-Sulpice, 6e. Tél. 01 43 26 73 43. M° Odéon. Ouvert du mardi au samedi de 11h à 13h et de 14h à 19h. Fermé en août.

Design et goût. Depuis 1987, Nadia Herschkovitch se consacre aux objets de la table, dessinés par des designers et des architectes. Préparation, cuisson, dégustation, on y trouve le plus beau : batterie de cuisine Mami pour Alessi signé par Stefano Giovannoni, ustensiles divers (planches à découper, assiettes, couverts, verres) signés Philippe Starck, Ron Arad ou Enzo Mari pour Alessi ; et bien sûr les couverts : saladiers en acier inoxydable brossé et autres classiques de l'architecte danois Aarne Jacobsen.

Caspari

7, rue Jacob, 6e. Tél. 01 55 42 15 00. M° Odéon. Ouvert lundi et mercredi de 14h à 19h, mardi, jeudi, vendredi et samedi de 10h30 à 19h.

Éphémère chic. Table d'un soir, oui, mais en beauté ! Vous trouverez chez ce spécialiste serviettes, nappes, verres en plastique, assiettes en carton... du plus bel effet. Des collections presque limitées de créateurs (Hilton McConnico, Susie Ray...) ou inspirées des collections des musées internationaux. Une adresse de choix quand on veut faire vite, beau et élégant.

Siècle ♥

24, rue du Bac, 7e. Tél. 01 47 03 48 03. M° Rue-du-Bac ou Solférino. Ouvert le mardi de 11h30 à 19h et du lundi au samedi de 10h30 à 19h. Fermé tous les jours de 13h à 14h.

Internet : *www.siecle.fr*

Pour les grands soirs. Un coup de cœur sans retenue pour ce lieu magique dont les créations originales sont toutes de pures merveilles. Dans cette boutique écrin, Marisa Osorio-Farinha crée et fabrique de l'orfèvrerie, du linge de table brodé main à couper le souffle : motifs floraux (couronne de roses de Redouté, citrons), poissons, coraux. La vaisselle est décorée de papier peint découpé, peinte, vernie et ornée de feuille d'or. La maison peut personnaliser tous les modèles que vous aimez, mais il ne faut pas être pressé. Tout l'art de dresser une table haute couture à des tarifs en conséquence.

The Conran Shop

117, rue du Bac, 7e. Tél. 01 42 84 10 01. M° Sèvres-Babylone. Ouvert du lundi au vendredi de 10h à 19h et le samedi de 10h à 19h30.
30, boulevard des Capucines, 9e. Tél. 01 53 43 29 00. M° Madeleine. Ouvert du lundi au samedi de 10h à 19h30.

So chic ! Beaucoup de choix et un renouvellement permanent dans les très belles collections design à l'honneur ici. Tout est là : couleurs, belles matières (beaucoup de porcelaine et de grès), la fantaisie sans lourdeur… à des prix finalement assez démocratiques si l'on sait choisir. L'air du temps se sent ici, mais rien ne se démode tant la sélection est fine. La collection de linge de table vaut également le détour. Un must dont on ne se lasse pas.

Tout sous la main

Les grands magasins de la capitale sont à la pointe de la tendance et du design. Ce n'est pas pour rien que les fiancés vont y sélectionner leur liste de mariage… Un petit tour par le Printemps de la maison, les Galeries Lafayette ou le Bon Marché et le BHV, exceptionnellement riche en matériel « lourd », et vous aurez là une approche plus qu'exhaustive de tout ce qui se fait en matière d'équipement culinaire. Il faut surtout savoir profiter des différents « mois de la Maison » où les prix sont cassés, les séries limitées abondantes et les facilités de crédit nombreuses. Beaucoup de bonnes affaires pour les fouineurs, même si les prix sont assez élevés.

De l'office à la table

26, rue des Batignolles, 17e. Tél. 01 44 70 09 73. M° Rome ou Place-de-Clichy. Ouvert le lundi de 12h30 à 19h30 et du mardi au samedi de 10h30 à 19h30.

Bazar pro. Cette toute petite boutique encombrée ferait presque penser, à première vue, à un bazar un peu décalé. Mais il suffit d'entrer pour y découvrir du matériel de bonne qualité, assez sophistiqué même (cocotte en fonte à l'ancienne, wok design…). À noter une très jolie collection de vaisselle en faïence au nom prometteur de Festin coquin, très gaie et colorée, des couteaux en matières nobles (alu mat, corne noire) et des accessoires futés comme ce couteau à lame évidée pour éviter de casser les tranches de fromage à la coupe… Accueil passionné.

Toute la porcelaine classique signée

Attention, bon plan! Ercuis, Saint-Hilaire, Villeroy et Boch... vous trouverez les plus grandes marques à prix réduits dans les magasins d'usine. Toutes les adresses sont sur le site Internet

Internet : *www.factoryzone.com*

Le paradis des arts de la table

*La rue de Paradis (10e) fédère tout ce que la porcelaine, l'orfèvrerie, la cristallerie compte comme noms les plus prestigieux. Les plus grandes enseignes sont ici représentées : Baccarat (au n° 30 bis), Saint-Louis, Daum, Christofle, Bernardaud, Raynaud, Gien... aux **Cristalleries de Paris** (n° 2) et à la **Cristallerie Paradis** (n° 17 bis) pour ne citer qu'elles. On y fait parfois de bonnes affaires ; ne pas manquer d'y jeter un œil pour se constituer un service de prestige.*

■ Table du bout du monde

Kaze ♥

11 et 34, rue François-Miron, 4e. Tél. 01 48 04 07 04. M° Pont-Marie ou Saint-Paul. Ouvert du lundi au samedi de 11h30 à 19h, fermé le lundi et dimanche au n° 34.

Soleil-Levant. De la vaisselle tout ce qu'il y a de plus zen et épurée, prête à accueillir *sushi* et autres préparations nippones. Un grand choix de petits bols, de plats carrés ou rectangulaires qui font office d'assiette, et de baguettes.

Compagnie Française de l'Orient et de la Chine (CFOC) ♥

167, boulevard Saint-Germain, 6e. Tél. 01 45 48 10 31. M° Saint-Germain-des-Prés.
170, bd Haussmann, 8e. Tél. 01 53 53 40 80. M° Saint-Philippe-du-Roule. Ouvert du lundi au samedi de 10h à 19 h.

Couleurs de Chine. François Dautresme, homme de goût, sillonne la Chine depuis trente-cinq ans pour rapporter les plus belles pièces de ses régions. D'une esthétique irréprochable, les collections d'assiettes, les plats de service, les bols à thé en céramique vernies ou en grès noirs de Mongolie sont de pures merveilles. Les rouges de Canton et les bleus Song sont les couleurs maîtresses de ces services d'un classicisme indémodable. Une adresse incontournable pour se (re)faire un service aux accents asiatiques, zen et coloré à la fois.

China Bazar

14-16, rue Rebéval, 19e. Tél. 01 42 03 15 16. M° Belleville. Ouvert tous les jours sauf dimanche lundi matin de 9h30 à 12h30 et de 13h30 à 18h30.

Comme au resto. Un grand choix de vaisselle typique à prix serrés (ils fournissent aussi les restaurants chinois) et d'ustensiles dans une ambiance de bazar cantonais très dépaysante. Bon accueil.

Kawa

89, avenue de Choisy, 13e. Tél. 01 56 61 98 89. M° Porte-de-Choisy.
3, place de Stalingrad, 10e. Tél. 01 40 38 69 88. M° Stalingrad.
Ouvert du lundi au samedi de 10h à 19h.

Couleurs asiatiques. Un bon plan pour s'équiper en vaisselle chinoise, japonaise ou thaïlandaise pas chère et parfois de très bonne qualité (notamment un service en céramique japonaise très raffiné). De la couleur (ça change du bleu traditionnel) et tous les ustensiles de cuisson et de service (paniers-vapeur, woks.) C'est pas cher, il y a de tout, c'est gai, bref ça vaut le détour.

La Médina

70, rue Saint-André-des-Arts, Paris 6e. Tél. 01 43 29 70 65. M° Odéon.
Ouvert du lundi au vendredi de 11h30 à 19h30, le samedi de 11h à 20h et le dimanche de 15h à 20h.

En direct du souk. Toute la vaisselle marocaine revisitée. Idéal pour soirées colorées et appétits friands de couscous et autres tagines. Un choix de plats multicolores, certes, mais aussi des plats unis de belles couleurs, tout ça très tendance. Une adresse de choix, même pour offrir un petit cendrier marocain… (attention, la Médina va bouger un peu dans le quartier, mais l'info sera disponible à l'adresse que nous vous indiquons aujourd'hui).

Human Inside
90, rue de Rennes, 6e. Tél. 01 42 84 83 33. M° Rennes. Ouvert du lundi au samedi de 10h à 19h30.
Équitable. À piocher par-ci, par là quelques pièces pour décorer sa table, tendance world : couverts en écaille, dessous de table en osier, sets en tissus ethniques, saladiers en bois made in Brésil, Mexique, Afrique...

Une cuisine feng-shui

Vous ratez tous vos plats ? Les soufflés refusent délibérément de monter dans votre four ? Vous cassez maladroitement trop de vaisselle ? Pas de doute, votre cuisine a le mauvais œil... Et fengshuiser votre cuisine, vous y avez pensé ?

Le feng shui : késako ?

Art d'origine chinoise inspiré d'éléments millénaires, le feng shui est une discipline dont l'objet est d'aménager l'espace de façon à optimiser la circulation de l'énergie cosmique en vue d'améliorer la qualité de la vie. Les maîtres de cette discipline pratique et profane se chargent d'évaluer votre intérieur, ainsi que votre mode de vie de façon générale : amours, santé, boulot, argent... tout est décrypté, analysé par l'expert en question. La visite de votre intérieur par le maître permet d'établir un diagnostic précis sur la circulation des énergies chez vous.

Pairs et impairs de la cuisine feng shui

À respecter impérativement pour retrouver la zenitude dans votre pièce favorite...

• Le four ou la cuisinière et l'évier ne doivent jamais se trouver côte à côte et encore moins face à face ! Explication : le feu qui cuit nos aliments est sacré pour les Chinois. Pas question donc d'y opposer l'eau, qui éteint le feu. Seuls remèdes : vous cassez tout, ou alors interposez une table en bois entre le four ou la cuisinière et l'évier si la taille de votre cuisine le permet (car l'eau nourrit le bois qui nourrit le feu, CQFD).

• Il ne faut pas que le plan de travail et la cuisinière amènent le cuisinier à tourner le dos à la porte.

• *Attention, pas de poutre au-dessus du plan de cuisson : cet endroit ne doit pas être chargé en énergies lourdes.*

• *Quant aux WC chez les voisins du dessus, pile au niveau de la cuisinière, ils sont à proscrire définitivement, sous peine de voir toutes les énergies yin de l'eau sale souiller vos petits plats qui mijotent. Conflits de voisinage tout en saveur à prévoir !*

• *Le feu au centre d'une cuisine, c'est tout sauf feng-shui. Adieu donc au concept d'îlot central de cuisson.*

• *Bannissez une fois pour toutes les couteaux suspendus ou en vue dans votre cuisine : tous les objets coupants au tiroir !*

• *Suspendre fleurs séchées et autres paniers en hauteur, ça pèse sur la tête, nous assurent les maîtres feng-shui.*

• *Il vaut mieux éviter de faire sa lessive dans la cuisine.*

Pour en savoir plus...
Lilian Too, Le Guide illustré du feng shui, *éditions Guy Trédaniel.*

4

A la recherche des meilleurs produits

Pas de bonne cuisine sans bons produits : le credo des grands chefs se démocratise enfin! Cuisiner un poisson ultrafrais, préparer un poulet fermier, faire dorer quelques jeunes légumes croquants, c'est l'assurance d'en retrouver la saveur intacte. Produits frais ou exotiques, adresses incontournables, épiceries-restos, design épiceries ou encore cybermarchés : voici tous les plans pour faciliter et égayer vos courses

Épiceries traditionnelles et exotiques

■ Les petites et grandes épiceries fines

G. Detou

58, rue Tiquetonne, 2e. Tél. 01 42 36 54 67. M° Étienne-Marcel. Ouvert le lundi de 8h30 à 18h et du mardi au vendredi de 8h à 19h, le samedi de 8h à 13h et de 14h à 18h.

Bases pâtissières. Toutes les matières premières pour la pâtisserie sont là : chocolat de couverture Valrhona, sucres divers et autres produits pour réaliser des gâteaux aux saveurs pures (noix de pécan, noix, amandes en vrac, arômes et bâtons de vanille, levure chimique, violettes et feuilles de menthe en sucre, pâtes d'amande...). Également de l'épicerie fine traditionnelle pour cuisiner : huile d'olive, foie gras, plats cuisinés (confit de canard), piment d'Espelette, piquillos entiers (poivrons rouges à farcir de morue), des conserves de fruits et de légumes... Une ambiance à l'ancienne. Les produits ne sont pas exceptionnels, mais on vend ici aux mêmes tarifs qu'aux pros (prix de gros).

L'Épicerie fine rive gauche

8, rue du Champ-de-Mars, 7e. Tél. 01 47 05 98 18. M° École-Militaire Ouvert du mardi au samedi de de 9h à 13h et de 15h à 20h, le dimanche de 9h30 à 13h.

Sélection de goût(s). On trouve de tout dans cette jolie épicerie fine à l'ancienne à deux pas de la tour Eiffel. De l'huile d'olive Château-Virant, de l'huile de truffe, du riz carnaroli, des mojettes de Vendée ou du saumon sauvage sans colorant. Fèves et épices sont vendues en vrac, en sachet. Pascal Mièvre, homme de goût, sait vraiment choisir ses produits, sans forcer sur les prix. Le samedi, aux beaux jours, ne pas rater la dégustation de produits sur le trottoir.

La Grande Épicerie de Paris ♥

38, rue de Sèvres, 7e. Tél. 01 44 39 81 00. M° Sèvres-Babylone. Ouvert du lundi au samedi de 8h30 à 21h.
Internet : *www.lagrandeepicerie.fr*
Notre Harrod's. Vous trouverez ici... le meilleur et le plus rare. Il s'agit là d'un véritable supermarché – haut de gamme, tout de même – looké avec style et intelligence, comme on n'en trouve qu'à Londres ou à New York. Le lieu fait la part belle à toutes les gastronomies du monde (l'Italie, le Japon, la Grande-Bretagne jouent les vedettes), comptant plus de cinq mille références, avec de beaux espaces dédiés aux épices, aux volailles, aux fruits et aux légumes exotiques, au poisson... Rayon casher bien fourni. Le rayon pâtisserie n'est pas dénué d'intérêt puisque les produits sont conçus par Nicolas Boussin, Meilleur Ouvrier de France 2000. Ne pas oublier la cave, une des mieux fournies de Paris, et le rayon traiteur, exubérant (des plats cuisinés à emporter, des salades à composer soi-même, des sandwiches appétissants...). Assoiffé ? La vaste gamme d'eaux au design tendance fait sensation sur les présentoirs (eaux de source, minérales, avec ou sans bulles, d'ici ou d'ailleurs...).

Albert Ménès

41, bd Malesherbes, 8e. Tél. 01 42 66 95 63. M° Saint-Augustin. Ouvert tous les jours de 10h30 à 19h sauf le samedi et le dimanche.
Complément de saveur. Des condiments rares comme les airelles au sel pour cuisiner à la nordique, de bons légumes en conserves (délicieuses lentilles cuisinées) pour accompagner vos rôtis... Chez Albert Ménès, on joue la carte du complément de saveur qui fera ressortir vos talents. À noter le très beau décor ancien de cette boutique, une des plus anciennes épiceries fines de Paris.

Hédiard

21, place de la Madeleine, 8e. Tél. 01 43 12 88 88. M° Madeleine. Autres adresses (Neuilly, Courcelles, Bac, Monge, Doumer, George-V, Vélizy 2 et Parly 2) sur le site Internet. Ouvert du lundi au samedi de 9h à 22h.
Internet : *www.hediard.fr*

French touch. Place de la Madeleine, couleurs et saveurs sont au rendez-vous sur les étals de cette grande et vénérable épicerie parisienne. On y déniche un tas de fruits et de légumes exotiques, mûrs à point, joliment présentés dans des petits paniers en osier. Le rayon des plats cuisinés offre un bel éventail de choix : ratatouille, compotée aux choux et le classique taboulé Hédiard. Les épices sont présentées en vrac mais chic (*tandoori masala*, curry indien fort ou doux, cari de Madras, ras el-hanout...). Les pâtes d'Alsace tiennent une belle place, et on y trouve à côté les sauces tomates aromatisées pour les accommoder tout en finesse. Un beau rayon d'huiles d'olive, de vinaigres (de miel, à la pêche, à la vanille...), de condiments divers (moutardes originales au paprika, à l'orange, à l'avocat...). Un grand rayon traiteur, somme toute assez classique, peut vous dépanner à l'occasion ou en cas d'envie gourmande (salades d'inspiration méditerranéenne, saumon fumé ou mariné, jambons) et divers plats préparés assez sophistiqués. Les sandwiches originaux valent le détour (queues d'écrevisses, poulet tikka...). Le restaurant du premier étage achèvera de convaincre les plus raffinés des gastronomes parisiens. La vue sur la place est imprenable ! Un voiturier est également à votre service pour faire les courses sans risque de contredanse.

Fauchon

30, place de la Madeleine, 8e. Tél. 01 47 42 60 11 (standard). M° Madeleine. Ouvert du lundi au samedi de 9h30 à 19h.
Internet : *www.fauchon.fr*

Mythique. Voisin du précédent, Fauchon ne démérite pas du côté de la qualité des produits qu'il propose. On aime l'originalité des petits biscuits pour l'apéro (des feuilletés au gouda et au thym qui font toute la différence), les conserves de légumes et de poissons (un gaspacho andalou si frais aux beaux jours). Les plats cuisinés du terroir sont une réussite (le canard à l'orange notamment). Pour accompagner une bonne viande, ne manquez pas les sauces raffinées : béarnaise, à l'estragon, bourguignonne... La moutarde à la violette de Brive est un classique, et les huiles d'olive Fauchon sont extra. Côté herbes et épices, une jolie boutique leur est dédiée au premier étage. Les épices en bocaux ou en vrac sont joliment mises en scène (poivre de java, badiane, macis entier...). Comble du design : les moulins à sel et à poivre en forme de bouteille allongée riquewihr, 35 cm de hauteur (53,50 €). Une institution à visiter absolument à Noël. La mise en scène des produits atteint alors des sommets. Au n° 26, un salon de thé vous accueille toute la journée, et au n° 30, le rayon traiteur de Fauchon ne manquera pas de vous séduire (les quiches aux poireaux et au magret sont un délice... mais à 30,50 € pour 6 personnes quand même !). Les plats cuisinés sont parfaits mais sans grande folie. Également quelques fromages, des jambons et des pâtés complètent l'offre.

Maille

6, place de la Madeleine, 8e. Tél. 01 40 15 06 00. M° Madeleine. Ouvert du lundi au samedi de 10h à 19h.
Internet : *www.maille.com*

Condiments. Une boutique chic en boiseries claires place de la Madeleine : un vrai plus pour tous ceux que l'art des condiments exalte. Les vendeurs mettent un point d'honneur à vous conseiller et à vous faire découvrir des moutardes inédites : au cidre de Normandie, au calvados, au cassis, aux fruits rouges, aux trois herbes... Des exclusivités dont la maison n'est pas peu fière ! En témoigne aussi l'excellente moutarde fraîche au vin blanc, tirée à la pompe en boutique. Également quelques huiles, vinaigres, cornichons (essayer les aigres-doux à l'alsacienne), oignons, pickles...

Lafayette Gourmet

48-52, bd Haussmann, 9e. Tél. 01 48 74 46 08. M° Havre-Caumartin. Ouvert du lundi au samedi de 9h à 20h, nocturne le jeudi jusqu'à 21h.
Internet : *www.lafayette.gourmet.com*

Tendance. Chez Lafayette Gourmet, en plus d'une bibliothèque des vins unique à Paris, on joue la carte « corners » avec des produits à emporter comme (entre autres) les spécialités du traiteur grec Mavrommatis, ou encore Petrossian, spécialiste du caviar et du saumon fumé, une boulangerie pleine de pains spéciaux et un coin

espagnol, avec notamment le fameux jambon Bellota-Bellota. L'épicerie fine est également bien garnie en produits du monde, du riz
arborio au vinaigre de riz japonais... Vous y dénicherez tous les
ingrédients rares pour la préparation de vos recettes. Une épicerie
riche de milliers de produits, tous sélectionnés avec soin.

■ **Épiceries exotiques**

Autriche-Allemagne
Le Stübli Delikatessen

*10, rue Poncelet, 17e. Tél. 01 48 88 98 07. M° Ternes. Ouvert du mardi au
samedi de 9h à 19h30 et le dimanche de 9h à 13h.*
Internet : *www.stubli.com*
Style Heidi. Des pâtisseries, mais également des charcuteries, des
pains spéciaux, de l'épicerie fine, de la bière et des alcools : une
gamme aux accents bavarois prononcés. Également des plats à
emporter (voir p. 55).

Italie
Bio It

*15, rue des Halles, 1er. Tél. 01 42 21 10 21. M° Châtelet. Ouvert tous les
jours sauf le dimanche de 10h à 20h.*
Voir page 77.

Espagne
Galicia

*5, rue des Fossés-Saint-Jacques, 5e. Tél. 01 47 07 75 01. M° Saint-Marcel
ou Censier-Daubenton. Ouvert tous les jours de 10h à 12h30 et de 15h30
à 20h.*
¡Ole ! On trouve ici différents produits de Galice (jambon, tête et
oreille de cochon, viande de bœuf fumée) et tous les fromages
espagnols.

Jabugo Iberico an Co selon Byzance ♥

*11, rue Clément-Marot, 8e. Tél. 01 47 20 03 13. M° Alma-Marceau. Ouvert
du mardi au samedi de 10h à 20h.*
Jamón, jamón. Une grande variété de jambons séchés, fumés,
salés vous attend ici, présentés en grande pompe. Le Jabugo

Iberico est une pure merveille, il atteint des sommets de saveurs (et de prix) dont ne tiennent pas compte les amateurs qui viennent ici faire leurs emplettes. Une épicerie propose également des hautes spécialités gastronomiques ibériques : anchois à l'huile, filets de thon à l'huile (fameux !) dans des bocaux en verre jusqu'à un kilo, de l'huile d'olive, des poivrons rouges marinés... Un petit comptoir fait office de restaurant à l'heure du déjeuner.

Cap Hispania

23, rue Jouffroy-d'Abbans, 17e. Tél. 01 46 22 11 60. M° Malesherbes. Ouvert le lundi de 16h à 19h15 et du mardi au samedi de 10h à 14h et de 16h à 19h30.

Solide. Du jambon ibérique *pata negra* au traditionnel turròn, en passant par la charcuterie (chorizo, *lomo*), les fromages, les conserves de plats cuisinés et de légumes, les vins et les spiritueux : toute la gastronomie espagnole à table. La maison prépare aussi des tortillas comme là bas, ainsi que des croquettes de poulet.

Portugal

Primland Services

87, bd de Branly, 93230 Romainville. Tél. 01 49 88 06 85. Ouvert du mardi au samedi de 8h30 à 20h et le dimanche de 9h à 13h.

Comme à Lisbonne. Toute la communauté portugaise de la capitale se retrouve ici pour faire ses courses et se faire conseiller par Paula et Helena. Une superbe adresse de produits frais, séchés, en boîte, en cartons... pour préparer toutes les spécialités du pays.

Serbie

Dinic ♥

76, rue du Château-d'Eau, 10e. Tél. 01 47 70 01 06. M° Château-d'Eau. Ouvert du mardi au samedi de 8h à 19h30.

Le goût des Balkans. On trouve ici tous les produits serbes : de la charcuterie au vin, en passant par les bocaux de cornichons et de poivrons vinaigrés. Cette épicerie réalise également quelques spécialités cuisinées du pays, notamment le cochon de lait rôti, à commander à l'avance. Une étape de choix.

Afrique-Antilles

Tout Kin

82, rue Doudeauville, 18e. Tél. 01 42 52 06 03. M° Château-Rouge. Ouvert du mardi au dimanche de 9h30 à 20h.

Toute l'Afrique en rayon : boissons, fruits et légumes frais, poissons séchés, manioc, conserves... On y trouve de quoi cuisiner sans complexe un vrai maffé, comme seule Didi sait les faire !

Continuez vos courses **rue Poulet**, **rue Dejean**, **rue de Suez**, **rue des Poissonniers** et **rue Marcadet** : nombreuses boutiques d'alimentation regorgeant de produits frais, séchés, en boîte, et de légumes. Ignames, manioc, bananes plantains, poisson séché vous y attendent.

Les Antilles à votre table – Spécialités antillaises Ménilmontant

14-16, bd de Belleville, 20e. Tél. 01 43 58 31 30. M° Ménilmontant. Ouvert du mardi au jeudi de 10h à 19h15, le vendredi et le samedi de 9h à 19h15 et le dimanche de 9h à 12h15.

Internet : *www.traiteurantillais.com*

Chaud-chaud. Ici, on parle accras, boudins, crabes farcis, cari de poulet, achard de légumes, jus de fruits exotiques... Des fruits et légumes frais exotiques, un beau rayon de poissons congelés et surtout toute une gamme de délicieuses glaces et sorbets exotiques artisanaux à glisser dans son Caddie : toute la palette créole !

Inde

Cash And Carry

197, rue du Faubourg-Saint-Denis, 10e. Tél. 01 40 34 71 65.
M° La Chapelle. Ouvert du mardi au dimanche de 8h30 à 21h.

Comme à Bombay. Une grande épicerie qui déborde de légumes et de fruits frais, de sauces tandoori, de pâtes de curry, de riz basmati et d'autres épices. C'est frais, pas cher, et l'ambiance est dépaysante.

Velan

83-87, passage Brady, 10e. M° Château-d'Eau. Tél. 01 42 46 06 06. Ouvert du lundi au samedi de 9h30 à 20h30

Salaam Velan ! Un labyrinthe riche de centaines d'épices aux odeurs puissantes, aux noms et aux usages peu familiers, et de produits de base fort utiles pour réaliser curries, *byriani* et *kulfi* dans les règles de l'art. Et aussi pour l'apéro : *papadum* au poivre ou au cumin, à faire réchauffer en trois secondes au micro-ondes. Un bazar enivrant !

Chine

Tang Frères ♥
48, avenue d'Ivry, 13e. Tél. 01 45 70 80 00. M° Porte-d'Ivry. Ouvert tous les jours de 9h à 19h30 sauf le lundi.
Internet : *www.tangfreres.com*
Incontournable. Du frais, du congelé, des boîtes, des produits secs... Les poissons frais valent le coup d'œil, le dégradé de vert formé par les légumes est surprenant, les paquets et sacs de riz s'entassent à loisir, et on aime y observer les fruits et légumes exotiques aux formes surprenantes pour nos yeux européens. Il y a toutes les sortes de raviolis surgelés pour organiser des repas chinois express, de la ciboule, des nouilles, du porc, du bœuf, du poulet, des sauces piquantes, pas piquantes. Une débauche de produits, d'odeurs, de couleurs, de bruits et de mouvements.

■ **Et aussi...**

Supermarché Xin Yi Xin
110, rue du Faubourg-du-Temple, 11e. Tél. 01 43 38 31 35. M° Belleville. Ouvert du mardi au dimanche de 9h à 21h.
Petit mais pratique. Un petit supermarché asiatique où vous trouverez tout pour cuisiner chinois.

Exo-Store ♥
52, avenue de Choisy, 13e. Tél. 01 44 24 99 88. M° Porte-de-Choisy. Ouvert tous les jours de 8h30 à 19h sauf le dimanche.
Bon plan. Outre l'alimentation chinoise, on trouve ici à bas prix tous les produits alimentaires japonais.

Asie Exo
2, rue des Roses, 18e. Tél. 01 42 09 76 01. M° Marx-Dormoy. Ouvert du mardi au dimanche de 9h à 19h.
Grand choix de produits alimentaires et de vaisselle.

Japon

Juji-Ya ♥

46, rue Sainte-Anne, 2e. Tél. 01 42 86 02 22. M° Pyramides. Ouvert tous les jours de 10h à 22h, le dimanche jusqu'à 21h.

Confidentiel. Un accueil très souriant pour cette petite boutique nichée en haut de trois marches où l'on ne croise quasiment que des Japonais. Le rayon alimentation est varié et authentique ; il y a tout, en provenance directe du Japon : du poisson, des algues, des nouilles, du tofu, des champignons frais, du surgelé, des boîtes, des sachets de soupes ou des sauces déshydratées... Les plateaux-repas à emporter ont également un joli succès, bien mérité : cuisinés sur place, tous les plats sont excellents.

Kioko

46, rue Croix des Petits-Champs, 2e. Tél. 01 42 61 33 66. M° Pyramides. Ouvert du mardi au samedi de 10h à 20h, le dimanche de 11h à 19h.

Sanctuaire. Une petite boutique – la plus ancienne épicerie japonaise de Paris – dont tous les produits sont importés du Japon. L'accueil est un peu réservé, mais la qualité et le choix priment sur le service. On peut y emporter ses *sushi* ou ses *maki* pour le dîner, mais surtout remplir son cabas de fruits et de légumes frais, de surgelés, de soupes déshydratées, de sauce de soja, de vinaigre de riz, de petits gâteaux japonais adorables (le rayon alimentation pour les enfants est une merveille de kitsch). Ne pas rater le fameux pain de mie à la cannelle, délicieux au goûter avec un bon chocolat chaud.

■ Sur la route des épices

Les Halles corses

71, rue Montorgueil, 1er. Tél. 01 42 33 72 39. M° Les Halles. Ouvert tous les jours de 7h à 21h.

Senteurs et couleurs. Comme son nom ne l'indique pas, tous les produits orientaux de base se trouvent dans cette échoppe aux airs de souk : légumes secs, farines, riz, couscous, polenta...

Goumanyat et son royaume

7, rue de la Michodière, 2e. M° Opéra ou 4-Septembre. Tél. 01 42 68 09 71. Ouvert tous les jours de 14h à 20h, fermé le dimanche.

Luxueux. Le meilleur safran de Paris, en poudre, en filaments, et toutes les épices du monde dans une boutique-écrin : curries, cardamome, badiane, paprika, ras el-hanout, gingembre... des parfums inoubliables pour recettes exotiques réussies.

Izraël – Le Monde des épices ♥

30, rue François-Miron, 4e. Tél. 01 42 72 66 23. M° Saint-Paul ou Pont-Marie. Ouvert de 9h30 à 13h et de 14h30 à 19h, le samedi de 9h à 19h. Fermé en août.

Caverne d'Ali Baba. Des épices, des bocaux, du vin, du thé... On ne présente plus cette institution parisienne, maître ès épices et saveurs du monde réunies. Une explosion de couleurs, d'odeurs et de saveurs font vibrer ce lieu mythique chargé d'ambiances souvent très lointaines.

Heratchian

6, rue Lamartine, 9e. Tél. 01 48 78 43 19. M° Cadet. Ouvert tous les jours de 8h30 à 19h30 sauf le dimanche et le lundi matin.

Les clients Hératchian vivent plus longtemps. Connaissiez-vous cette devise légendaire ? Si c'est vrai, cela doit être dû au vent de Méditerranée qui souffle sur cette épicerie d'origine arménienne. Outre les épices proprement dites (cumin, curcuma...), on y déniche toute l'épicerie grecque (feta, feuille de vignes fraîches), turque, et nombre de légumes secs.

Massis Bleue

27, rue Bleue, 9e. Tél. 01 48 24 93 86. M° Cadet. Ouvert tous les jours de 7h30 à 19h30 sauf le dimanche et le lundi.

Charme rétro. Les vendeurs, tous en blouse bleue, vous servent épices, fruits secs, riz, semoule, lentilles rouges et vertes dans des sacs en papier Kraft. Le choix de conserves est vaste, vous trouverez ici du *foul*, du *hoummous* et tous les produits du Proche-Orient à bon prix.

Les nouvelles épiceries :
une autre façon de faire ses courses

■ La crème des huiles

`Oliviers and Co`

34-36, rue Montorgueil, Paris 1er. Tél. 01 42 33 89 95. M° Étienne-Marcel, Les Halles.

81, rue Saint-Louis-en-l'Île, Paris 4e. Tél. 01 40 46 89 37. M° Pont-Marie.

47, rue Vieille-du-Temple, Paris 4e. Tél. 01 42 74 38 40. M° Rambuteau.

128, rue Mouffetard, Paris 5e. Tél. 01 55 43 83 42. M° Censier-Daubenton.

28, rue de Buci, Paris 6e. Tél. 01 44 07 15 43. M° Odéon.

Chai n° 20 F3, cour Saint-Émilion, Bercy-Village, Paris 12e.

Tél. 01 43 42 07 83. M° Cour-Saint-Émilion.

Boutique et Table O & Co.

85, rue du Commerce, Paris 15e. Tél. 01 55 76 42 26. M° Commerce.

8, rue de Lévis, Paris 17e. Tél. 01 53 42 18 04. M° Ternes.

Ouvert le lundi de 14h à 19h30, du mardi au samedi de 10h à 19h30, et le dimanche de 10h à 19h, sauf : Bercy-Village : du lundi au dimanche de 11h à 21h et le samedi jusqu'à 22h. Rue du Commerce : tous les jours de 9h30 à 19h30, sauf le dimanche (fermeture à 13h).

Internet : www.oliviers-co.com

Huiles d'olive du monde. Chaque huile vendue ici possède son étiquette détaillée avec sa provenance, la date de récolte et la méthode d'extraction. Pratique pour comprendre et différencier toutes les huiles d'olive que cette épicerie spécialisée propose : Tunisie, Israël, Croatie, Uruguay, Espagne, Grèce, Italie… un véritable tour de monde de l'huile d'olive. Un joli savon à l'ancienne à l'huile d'olive pour se laver les mains en cuisine (ou ailleurs).

`Huilerie artisanale Jean Leblanc et Fils` ♥

6, rue Jacob, 6e. Tél. 01 46 34 61 55. M° Saint-Germain-des-Prés ou Mabillon. Ouvert du mardi au samedi de 11h à 19h30, le lundi de 14h30 à 19h30. Fermeture annuelle deux semaines en août.

Chouchou des chefs. Dans une toute petite boutique, la famille Leblanc, huiliers de grande tradition en Bourgogne depuis 1878, propose ses huiles culinaires parmi les plus réputées au monde. Les spécialités maison les plus réputées sont les huiles de fruits secs légèrement torréfiés (huile de pistache, huile de noix, de noisette, sésame et de pignons de pin). Autant de régals que les chefs des grands restaurants aiment à utiliser.

Allicante – Huilerie de Paris

26, bd Beaumarchais, 11e. Tél. 01 43 55 13 02. M° Bastille. Ouvert tous les jours de 10h à 19h30.
Internet : *www.allicante.com*

Huile passion. Dégustations permanentes, conseils culinaires, livres de recettes... tournent autour de l'huile dont certaines sont médaillées. Des huiles d'olive AOC issues de Grèce, d'Italie, d'Espagne, mais aussi de noix, de noisette, de pignon de pin et autres curiosités. L'huile aromatisée à la truffe blanche et l'huile au poivre sont à oser, elles changent tout dans une simple salade.

■ Les épiceries-restos : tendance, tendance...

Épicerie-resto : un nouveau concept qui fait fureur depuis quelques mois dans la capitale. Et pour cause... Il est plus gai de faire ses courses dans un restaurant dont on apprécie la cuisine qu'au supermarché bondé le samedi après-midi. Certes, cela ne revient pas au même prix, mais le plaisir de sélectionner les meilleurs produits pour son placard à provisions et d'essayer de jouer au chef vaut bien quelques euros supplémentaires...

Bio It

15, rue des Halles, Paris 1er. Tél. 01 42 21 10 21. M° Châtelet. Ouvert du lundi au samedi de 10h à 22h.

Italie bio, esprit loft. Depuis décembre 2000, un resto-épicerie aux saveurs italiennes... tendance bio. Très réussi : un cadre épuré et nature, des plats savoureux, des tarifs plus que modiques. On vient y chercher de quoi composer son petit dîner du soir : grand choix de légumes grillés, vapeur, de pâtes à toutes les sauces, de lasagnes, de cannellonis... Attention, tout est frais et cuisiné plusieurs fois par jour, sans viande ni poisson. Les salades (méditerranéenne aux légumes grillés) sont une aubaine en pleine chaleur ! Un très bon plan qui mérite aussi un petit coup de projo sur le coin épicerie italienne bio, très bien achalandé : les produits typiques viennent d'Italie sans escale, on peine même à comprendre les notices (du riz pour risotto, des pâtes faites maison, des conserves de légumes très réussies et toutes les sauces pour accommoder les pâte, dont le succulent ragoût d'olives à la truffe, de l'huile d'olive…). L'accueil est charmant. On peut aussi se restaurer sur place, sous une grande verrière.

La Petite France

14, rue de la Banque, 2e. Tél. 01 42 96 17 19. M° Bourse. Ouvert tous les jours de 8h30 à 17h30 en semaine et de 11h à 18h le dimanche pour le brunch.

Frais et de choix. Un tout petit coin épicerie mais une sélection assez fine des produits : du pain Moisan frais du jour, des pâtes artisanales Giacomo Rizzo en forme de gondoles, de cœurs, de sapins et de toutes les couleurs… Les jus de fruits artisanaux sont excellents : nectar de myrtille, de kiwi… On présente aussi une rose de muscat à tenter à l'apéro. Les fans de Julie Andrieu, critique gastronomique, auteur culinaire (*Tout cru, La Cuisine de Julie*) et présentatrice d'une émission culinaire sur Téva, seront bien contents de l'apprendre : non seulement elle a parrainé la carte de ce resto-épicerie dédié aux « petits moments de plaisir à la française », mais en plus elle en a fait sa cantine.

Granterroirs ♥

30, rue de Miromesnil, 8e. Tél. 01 47 42 18 18. M° Miromesnil. Ouvert du lundi au vendredi de 9h à 20h (de 12h à 15h pour le restaurant).

Le meilleur des régions. Jean-François Gimenez était publicitaire depuis quinze ans quand la passion de la gastronomie et des terroirs l'a rattrapé. Soucieux de faire découvrir la richesse des spécialités françaises, leur finesse et leur goût, il a sélectionné pendant près d'un an les meilleurs produits issus du terroir. Ouvert en septembre 1999, Granterroirs revendique haut et fort son exigence de qualité ! D'ailleurs, la sélection est parfaite : huile arôme truffe en brumisateur dans un beau flacon en inox (30,34 €), bouquet de figues ou de muscat (un nouveau condiment dont on se sert comme d'un vinaigre…), confit d'oignon, fleur de sel, truffes brossées, terrine de truite fumée, lentilles vertes du Berry label rouge (2,97 € les 500 g)… Les plats cuisinés vous font redécouvrir les spécialités locales : cassoulet exceptionnel, potjevlees – spécialité des Flandres à base de lapin, de poulet et de veau –, lapin au bleu d'Auvergne... La boutique est conviviale et décorée comme une épicerie à l'ancienne. On retrouve les produits de l'épicerie sur la carte proposée par le restaurant-table d'hôte qui connaît un franc succès. Ses tartines du jour font un malheur. Accueil excellent. À noter : bientôt Granterroirs vous livrera à domicile.

La Maison nordique

229, rue du Faubourg-Saint-Honoré, 8e. Tél. 01 53 81 02 20 (épicerie) et 01 40 68 90 70 (restaurant). M° Ternes.
125, boulevard de Grenelle, 15e. Tél. 01 40 56 97 96. M° La Motte-Picquet-Grenelle.
Ouvert le lundi de 12h à 14h30 et de 15h30 à 19h30 et du mardi au samedi de 10h à 14h30 et de 15h30 à 19h30.

Danois à emporter. La maison approvisionne les grands restaurants parisiens : un gage de qualité que les amateurs de spécialités nordiques sauront apprécier. La petite boutique propose des *koukous*, sortes de gâteaux aux légumes du jour : aubergines, légumes variés, des beignets de harengs à l'aneth, du tarama au saumon (37 € le kg), des *pirojkis* (petits feuilletés à la viande). Les sandwiches sont remarquables de fraîcheur et d'originalité, grâce aux pains utilisés, savoureux et variés. Le restaurant attenant propose l'éventail complet des spécialités nordiques.

I Golosi

6, rue de la Grange-Batelière, 9e. Tél. 01 48 24 18 63. M° Richelieu-Drouot.
Ouvert tous les jours sauf le samedi soir et le dimanche.

Beau et bon. L'énoncé de la carte – qui change chaque semaine – a de quoi laisser songeur. Des associations originales ô combien réussies, interprétations subtiles des spécialités de toute l'Italie. Un décor design plaisant, la plus belle carte de vins italiens de la capitale... sont autant de raisons de venir prendre un repas ici avant de s'approvisionner en spécialités gourmandes italiennes : le rayon traiteur fait saliver, et l'épicerie tant sucrée que salée mérite sa place dans les placards de votre cuisine (pâtes, huiles, riz pour le risotto...).

Bertrand à Paris ♥

7, rue Bourdaloue, 9e. Tél. 01 40 16 16 28. M° Notre-Dame-de-Lorette. Ouvert du mardi au samedi de 9h30 à 19h30 et de 12h à 18h le dimanche.

Douceurs d'autrefois. Non content de sustenter les Londoniens et les New-Yorkais chez eux (*via* Harrod's et Donna Karan, tout de même...), Bertrand a pensé à tous les Parisiens friands de ses produits artisanaux qui sentent bon l'enfance et sont autant d'invitations à la douceur : confitures artisanales, caramels salés, paillettes de chocolat, sirops de rose, de banane verte, de passion, vanille (19,76 € la bouteille) qui apporteront une touche originale à une salade de fruits, des berlingots... Les tartes et les cakes (salés ou sucrés) se laissent emporter sans remords à la maison : cake figue-jambon, tomates séchées-basilic (2,13 € la part) comme base de dînette ou comme entrée et de sublimes ou cakes à la fleur d'oranger, au citron, au chocolat pour la clôture.

L'Avant-Goût, Côté cellier

37, rue Bobillot, 13e. Tél. 01 45 81 14 06. M° Place-d'Italie. Ouvert du mardi au vendredi de 11h à 14h30 et de 17h à 21h, le samedi de 10h à 19h30.

Comme au resto. Juste en face de son restaurant, le chef Christophe Beaufront a ouvert une épicerie-cellier, où l'on retrouve tous les produits de base nécessaires à la préparation des (fameux) plats du restaurant. Des conserves originales (sardines au muscadet ou sauce ravigote de la Belle-Îloise, sardine au beurre en boîte à poêler, soupes de légumes oubliés à l'ortie sauvage, topinambours, rutabagas), des spécialités landaises Andignac en verrine, beaucoup d'épices conservées élégamment dans des tubes à essai (poivres de cru, macis, épine-vinette) et de bonnes huiles. Également une sélection de plats à emporter dont un délicieux pot-au-feu de cochon aux épices.

Les Petits Cailloux

43, rue des Cinq-Diamants, 13e. Tél. 01 45 80 96 33. M° Corvisart. Ouvert du lundi au samedi de 10h30 à 14h30 et de 15h à 20h30, le dimanche de 10h30 à 15h.

Frais et goûteux. Lasagnes maison, mais aussi un grand choix de pâtes artisanales vendues fraîches ou séchées (Setaro), des pâtes aromatisées au piment, à l'encre de seiche, aux cèpes. Les sauces changent en fonction des plats du jour proposés au restaurant attenant, les Cailloux : tomate-basilic, tourteau, encre de seiche... Des fromages italiens : provolone piquant, pecorino, taleggio et le rare crescendo, un fromage crémeux sans conservateur, à manger frais...

Premiata Drogheria di Meglio

39, rue Truffaut, 17e. Tél. 01 43 87 21 17. M° La Fourche ou Place-de-Clichy. Ouvert le lundi de 12h30 à 15h et de 17h à 20h, du mardi au vendredi de 10h à 15h et de 17h à 20h et le samedi de 10h à 18h.

Et de deux ! La Vénitienne Rossella tient avec énergie cette table d'hôte chaleureuse à laquelle se pressent les amateurs de vraie gastronomie italienne à l'heure du déjeuner. Côté épicerie, Rossella vous propose le meilleur de l'Italie dans un petit rayon (pâtes DeCecco : fusili lunghi, conchiglioni, sauces tomates aromatisées...) avec en prime de la charcuterie à la coupe (parme : 30 € le kg, san daniele, coppa, speck...), des fromages en portion (gorgonzola, provolone à 2,80 €, parmesan, asiago et pecorino) et du vin. Également un rayon traiteur, succulent. Quelques solides spécialités sont à tester sans plus attendre chez soi : *antipasti* divers (3,6 €), terrine de courgettes, lasagnes (5,80 €), canelloni, gratin d'aubergines *alla parmigiana*, pâtes au cèpes, à la crème d'artichaut... Attention aux desserts : tiramisù (2,80 € la part), gâteau au chocolat, *panna cotta*... on a tôt fait de s'y habituer. Tout est cuisiné sur place. L'accueil est très convivial.

■ Les épiceries-shopping

Dans la série «je fais mes courses avec plaisir», profitez d'un shopping de meubles, d'accessoires, de vêtements d'intérieur, de pantalons mode, de vaisselle, d'objets design, de bains moussants... pour glisser dans votre cabas quelques produits d'épicerie peu communs, au design souvent soigné, qui habilleront vos placards. Dans ces magasins de déco ou de mode, le côté «courses dernière minute» est également appréciable.

Côté déco

The Conran Shop

117, rue du Bac, 7ᵉ. Tél. 01 42 84 10 01. Mº Sèvres-Babylone. Ouvert du lundi au vendredi de 10h à 19h et le samedi de 10h à 19h30.

30, boulevard des Capucines, 9ᵉ. Tél. 01 53 43 29 00. Mº Madeleine. Ouvert du lundi au samedi de 10h à 19h30.

Internet : *www.conran.com*

Good taste. On ne présente plus cette chaîne de magasins créée par le maître ès design en mobilier et accessoires divers pour la maison, sir Terence Conran, gourmet réputé (son restaurant L'Alcazar à Paris en est la preuve). Ses magasins sont un must en matière de design de l'habitat. Les produits d'épicerie fine ne font pas mauvaise figure ici, loin de là. D'une part, vous trouverez tout le matériel (haut de gamme, et très rive gauche, certes) pour cuisiner asiatique. Ensuite, les produits proposés dénotent par leur originalité. La prédominance est italienne : pasta de toutes les couleurs, toute la gamme du grand chef italien Carluccio, des produits du soleil (les sardines aux trois parfums sont une belle idée d'apéro), des huiles d'olive Oliviers and Co, des rayons entiers de thés anglais, *so british*, des petits gâteaux pour aller avec... Une sélection courte, un packaging impeccable. Des tarifs pas donnés mais qui valent leur pesant en qualité et en convivialité.

Résonances

3, bd Malesherbes, 8ᵉ. Tél. 01 44 51 63 70. Mº Madeleine. Ouvert du lundi au samedi de 10h à 20h.

9, cour Saint-Émilion, 12ᵉ. Tél. 01 44 73 82 82. Mº Cour-Saint-Émilion. Ouvert tous les jours de 11h à 21h (ouvert le dimanche).

Les Passages de l'Hôtel-de-Ville - 5, rue Tony-Garnier, 92100 Boulogne-Billancourt. Tél. 01 55 60 22 80. Mº Boulogne-Jean-Jaurès. Ouvert du lundi au samedi de 9h30 à 20h.

Nostalgie. Pour compléter ses achats maison, on dénichera ici quelques produits d'épicerie fine à exposer sans hésitation sur les étagères de sa cuisine : des soupes bios artisanales (pâtisson-courgette, oseille, topinambour, potimarron...), des pâtes italiennes Setara de formes et de tailles surprenantes (dont les extra-longues Manfredi à 8,99 €) et toutes les sauces pour les accommoder de façon délicieuse (câpres aux anchois, aux cèpes...). Également des épices et des herbes (le sel du pêcheur, le sel du jardinier, le sel du boucher sont des musts). Le Coffret «La Route des Épices» est une belle idée de cadeau.

Mode

5e Sens ♥

Magasin Etam, 5e étage, 73, rue de Rivoli, 1er. Tél. 01 44 76 73 68. M° Pont-Neuf. Ouvert du lundi au samedi de 10h à 20h (nocturne le jeudi jusqu'à 21h30). Restaurant ouvert du lundi au samedi de 12h à 14h30.

Régressif. Le resto-boutique-épicerie du nouveau grand magasin Etam connaît un succès fou. Le petit bout de cantine rose avec vue sur les toits de la capitale remporte tous les suffrages des ados attardées-branchées qui viennent y piapiater entre copines... On refait le monde, affalée sur les divans en toile fleurie, sans oublier de goûter à quelques succulents petits plats d'inspiration exotique (émincé de poulet au saté, papillote de mérou à la vanille...). L'épicerie est plutôt bien fournie vu le style de shopping en vigueur dans le magasin, les produits sont bien sélectionnés, laissant place à quelques souvenirs d'enfance et parfums fleuris. Les sirops à la violette, au mimosa, à la mandarine aux épices, au melon sont ici des musts qui accompagnent les champagnes, les cocktails (7,32 €). La sélection d'huiles d'olive vaut le détour. On emportera le confit d'oignons aphrodisiaques (7,17 €). Les sauces et les condiments accompagnent s'il le faut les incroyables pâtes noires et bleues, noires et roses de chez Giacomo Rizzo... Vu également du riz pour *sushi*, de la sauce pimentée africaine et des jus de fruits artisanaux Alain Milliat : ses nectars (abricot, pomme...) sont divins.

Colette

213, rue Saint-Honoré, 1er. Tél. 01 55 35 33 90. M° Tuileries ou Concorde. Ouvert du lundi au samedi de 10h30 à 19h30.
Internet : *www.colette.tm.fr*

Trendy. Au rayon épicerie, on trouvera de quoi décorer ou garnir sa cuisine de produits Harvey Nichols, fameux épicier londonien chic, sans oublier le tablier de cuisine issu de la même enseigne. Tendance. Ne repartez pas sans les Ice Rocks, les glaçons d'eau de source à congeler. *So hype !* 8 € le sachet, tout de même...

Classique, bio, exotique : cybercourses sur Internet

■ Les supermarchés en ligne

Ces supermarchés virtuels remportent un grand succès auprès du public parisien pressé. Les grandes enseignes sont maintenant presque toutes présentes sur la Toile, la concurrence est féroce et profite normalement au consommateur. La première commande est en général assez difficile : il faut comprendre comment tout cela fonctionne : où et quand cliquer, ne pas se tromper dans les doses ni les tailles de ce que l'on commande (bien regarder les étiquettes virtuelles, cela évite les surprises désagréables…). La livraison étant le plus souvent facturée en sus de votre commande, autant en profiter pour stocker un peu de réserves. Vous pouvez régler au choix en espèces, par chèque ou par carte bancaire directement en ligne. Limitez l'achat de produits frais, trop chers. Pour le reste, les prix sont comparables aux « vrais » supermarchés.

www.telemarket.fr

Télémarket livre depuis 1983 sur Paris et sa région des produits frais, des fruits et des légumes, toute l'épicerie, des produits ménagers et d'équipement. Bon point : la livraison est possible le jour même de la commande pour un montant minimal d'achat.

www.ooshop.fr

Choisir parmi les six mille références que compte ce cybermarché n'est pas chose aisée. Les premières visites sont un peu longues, le temps de remplir de provisions son Caddie virtuel. Mais la navigation facile et les explications claires sur les produits facilitent grandement la manœuvre. On déplore cependant les frais de livraison les plus élevés de la concurrence…

Et aussi…
www.houra.fr
www.auchandirect.fr

■ Web-tendances exotiques
www.exoticcenter.com

44, rue de la République, 93200 Saint-Denis. Tél. 01 48 09 14 67. Épices et sauces, condiments, pâtes de piment, achards, jambons, confitures de goyave, de coco, de mangue et toutes les spécialités des Antilles et de la Réunion.

www.webshopindia.fr
Madonna ne se sépare plus du Chyawanprash, son complément alimentaire ayurvédique à base de plantes. Eh bien ! faites comme elle maintenant en le commandant directement en ligne sur ce site qui propose également des épices, des préparations salées ou sucrées et des légumes et céréales indiennes.

■ Vite et bio
www.natoora.fr ♥
"Vivre en ville, manger à la campagne". Un slogan bien appétissant pour tous les citadins en manque de goût et de saveurs. Un challenge que relève ce site en proposant à ses visiteurs de faire leurs cybercourses directement chez une centaine de petits producteurs, aux meilleurs prix. Du frais, rien que de l'ultrafrais, on vous le promet ! Au programme : fruits et légumes de saison, artisans charcutiers (de la bonne chipolata fraîche, du saucisson de cerf...), toute la viande des meilleurs éleveurs (bœuf, agneau, porc, volailles et lapins, et même de la biche d'élevage), poissons entiers (et préparations du poissonnier : des rillettes de sardines à l'apéro, ça vous tente ?), épices, bon pain et desserts, crèmerie, vin... L'accueil est des plus chaleureux... Entre amoureux des bons produits, on a toujours de quoi partager !
À découvrir : le véhicule de livraison futuriste et néanmoins écolo, la Natoomobile, qui fait fureur dans les rues de la capitale. On aime aussi la formule NatooNight : grâce au système d'aide en ligne, vous commandez en quelques minutes un repas de fête en fonction du nombre de convives et de leurs goûts. Attention, ils risquent de revenir souvent chez vous !

Et aussi...
www.la-halle-au-bio.fr
www.biodoo.com
Choix varié.
www.vivrebio.com
Un choix impressionnant de produits et de marques.
www.achat-bio.com
Les viandes biologiques sont conditionnées en petites caissettes de 2 à 7 kg.

■ Sans oublier…

www.vos-commerces.fr

Une sélection des meilleurs commerçants de Paris et de la région
parisienne : boulangers, charcutiers, fruits et légumes, fromagers,
poissonniers, bouchers, proposent de vous livrer toutes vos courses en une
fois, pour 7,50 € seulement de frais de port, quel que soit le nombre de
commerçants et de produits choisis. Une belle volaille fermière de
La Fermette des Ternes, un pain au seigle et aux noix de la boulangerie
Baillon, des brochettes de poisson du poissonnier Christophe, la commande
prise avant midi est chez vous le soir même…

La chasse aux produits frais

■ À chacun son marché parisien

On imagine difficilement Paris sans ses marchés : véritable explo-
sions de couleurs et de saveurs venues des quatre coins de France
et souvent du monde entier. Si une visite à Barbès vous transporte
au souk marocain, dans la même matinée, si le cœur vous en dit,
un passage au marché Wilson vous plongera dans un univers de luxe
et de raffinement.

Les marchés de la capitale reflètent bien son âme… et chacun
d'entre eux maintient le tissu social du quartier. Faire ses courses
devient un plaisir : on bavarde avec les commerçants, on jauge, on
évalue, on compare en prenant l'air, et les découvertes culinaires
sont nombreuses. Les Parisiens qui aiment cuisiner dénichent
souvent dans les marchés les meilleurs artisans, complices de leurs
créations gastronomiques. Alors, branché, chic ? économe ? À la
recherche de nouvelles saveurs ? Suivez le guide pour une petite
promenade parmi les marchés les plus remarquables de Paris.

Marché Raspail ♥

Boulevard Raspail entre les rues du Cherche-Midi et de Rennes, 6e.
M° Rennes ou Sèvres-Babylone. Mardi, vendredi et dimanche, en matinée.
Le plus people. Le dimanche, le marché biologique du boulevard
Raspail ne désemplit pas. Deux bonnes raisons à cela : c'est l'un
des meilleurs moyens pour y croiser Inès de La Fressange ou bien
Sandrine Kiberlain et Vincent Lindon, François Périer, voire Dave.

Un marché très rive gauche en somme. Mais sa réputation tient avant tout à la qualité de ses produits : le dimanche, il n'y a que des produits certifiés AB. Du bio en veux-tu, en voilà ! Des légumes et de fruits gorgés de vitamines, des carottes en bottes, des navets sucrés, des topinambours, des blettes et des épinards aux vertes feuilles, des concombres fermes, des herbes parfumées, des pommes tombées de l'arbre, de belles poires, des rangs de salades assorties en un dégradé de vert des plus réussis à l'entrée du marché s'offrent à vous, rue du Cherche-Midi. Les gourmands auront repéré les délicieuses galettes de pommes de terre aux oignons, les pains aux farines dont on peine à saisir les noms, les viennoiseries fondantes, les brownies et les muffins comme aux States, des algues à toutes les sauces, de la truffe. On aime aussi les produits laitiers vendus çà et là, les savoureux fromages de chèvre et de brebis, le poisson ultrafrais. Une qualité qu'il faut parfois savoir payer un peu cher… Attention, le dimanche, il y a foule. En semaine, les mardis et vendredis, c'est une clientèle plus familiale qui vient remplir ses Caddies. De bons petits producteurs vendent des fruits et des légumes de qualité, qui fleurent bon la terre. Le boucher Bruno propose une viande des plus goûteuses, son gigot est une merveille. La crème fraîche du fromager d'en face ravit les uns, les autres faisant la queue parfois plus d'une heure pour rapporter le fameux poisson de Michel Gaigner. Au passage, les meilleurs champignons se dénicheront chez Catherine Faure, et on ne manquera pas les belles volailles fermières en bas du marché, près de la rue du Cherche-Midi.

Marché des Batignolles

Sur le terre-plein central du boulevard des Batignolles, 8e. M° Rome ou Place-de-Clichy. Le samedi de 9h à 14h.

Le plus bio. Plus décontracté que son grand frère Raspail, le marché bio des Batignolles a conquis une clientèle prête à payer un peu plus cher de vrais bons produits. La foule qui s'y presse n'est jamais trop dense, ce qui facilite les allées et venues au sein du marché : tout ça dans une ambiance de village. Environ quarante stands accueillent les clients du quartier et d'ailleurs venus chercher la garantie d'un label biologique et d'une agriculture sans produits chimiques dans le deuxième grand marché bio de la capitale. À vrai dire, il est difficile de choisir sa marchandise. Tout est tentant : les produits de la ferme, les tartes faites à l'ancienne, les poissons sauvages pêchés parfois le matin même, de délicieux mélanges de salades, des crêpes et du cidre, des galettes bio préparées et cuites devant vous... C'est chez le boucher Lessieu qu'on s'approvisionnera sans crainte en viande (bêtes élevées par ses soins).

Marché couvert Saint-Quentin

31-33, rue du Château-d'Eau, Paris 10e. M° Château-d'Eau. Du mardi au samedi de 8h30 à 13h et de 16h à 19h30, et le dimanche de 8h30 à 13h.
Le plus authentique. Construit en 1865 par Baltard, le plus grand marché couvert de la capitale (près de 2 500 mètres carrés), restauré en 1982, n'a pas beaucoup gagné en lumière et en volume malgré sa hauteur sous verrière impressionnante. C'est le week-end que le marché s'anime, avec la venue de tous les riverains du quartier venus remplir leur cabas. On s'arrêtera chez Yolande Vallais pour ses fruits et légumes d'une étonnante variété et sa gouaille énergique et sympathique. Un traiteur libanais propose des spécialités fraîches et parfumées : goûtez à la pizza libanaise, elle vaut le détour. Quant aux pistaches iraniennes... Très bons pains spéciaux : bio à la farine Lemaire ou, aux sept céréales à la boulangerie traditionnelle du marché. Pour finir, on ne manquera pas de faire une petite pause café au bistrot central du marché, dans la plus pure tradition parisienne, les yeux rivés vers le ciel et la structure métallique impressionnante de ce marché aux airs de loft, en métal et en verre.

Marché Bastille

Boulevard Richard-Lenoir entre les rues Amelot et Saint-Sabin, 11e. M° Bastille. Les jeudis et dimanches en matinée.
Le plus animé. Un marché très diversifié, qui réunit à lui seul bien des traits du quartier de la Bastille : un vrai brassage social et un grand mélange de nationalités. Il y a toujours foule le dimanche, les embouteillages de Caddies ne sont pas rares... L'ambiance est des plus animées, aucun marchand n'hésite à vociférer par-delà ses étals et à houspiller gentiment le client – qui en redemande. C'est ici que le célèbre poissonnier Jacky Lorenzo a acquis sa notoriété :

son dynamisme, son bagout impressionnant et son art de haranguer les foules lui valent une petite célébrité. (à noter que ses promotions de fin de marché valent souvent le détour). Beaucoup de produits sympathiques et originaux : des spécialités africaines et antillaises chez Taranga, des produits biologiques, des pains spéciaux, des produits exotiques, des churros et des chichis, des escargots, des pizzas libanaises cuites devant vous, de la morue séchée, des montagnes de fruits secs… Attention, la qualité n'est pas toujours au rendez-vous chez les marchands de fruits et légumes, surtout chez ceux qui cassent les prix. Vérifiez l'état de la marchandise.

Marché d'Aligre ♥

Place d'Aligre, rue d'Aligre entre les rue de Charenton et Crozatier, 12e. M° Ledru-Rollin. Tous les jours sauf le lundi de 7h30 à 12h30.

Le plus tendance. Le marché d'Aligre est le seul de Paris à posséder une partie couverte et une partie en plein air. Au dehors, vous trouverez des fruits, des légumes, des fleurs, des herbes à prix cassés (un bon plan pour le thé à la menthe), pas toujours de la meilleure qualité mais souvent au meilleur prix, d'autant qu'il se discute aisément, surtout en fin de matinée. Il est parfois difficile de se frayer un chemin parmi la foule, mais cela fait aussi partie de l'ambiance : on se laisse porter par le mouvement. Le marché couvert est nettement plus haut de gamme : des bons bouchers, volaillers (pendant les fêtes notamment, les étals se remplissent de fabuleux gibiers), poissonniers, d'excellents fromagers, des stands d'épices et d'huiles, un traiteur italien dont les lasagne sont succulentes, des fabricants de pâtisseries à l'ancienne, des primeurs aux fruits et légumes irréprochables (mais aux tarifs nettement plus élevés qu'au-dehors). Faire la queue chez le boulanger Moisan relève presque de la tradition avant ou après avoir rempli son cabas. On attend – souvent – longtemps, mais la qualité du pain et des spécialités boulangères en vaut la peine.

Marché Iéna-Président-Wilson

Sur le terre-plein de l'avenue du Président-Wilson entre la rue Debrousse et la place d'Iéna, 16e. M° Alma-Marceau ou Iéna. Les mercredis et samedis en matinée.

Le plus chic. Une clientèle très haute couture peuple les allées de ce marché bien soigné. Constituée de mères de famille, de belles plantes tirées à quatre épingles, d'hommes d'affaires pressés en costume-cravate tirant leur Caddie écossais, la clientèle profite du seul marché de ce quartier qui ne compte quasiment pas de commerces alimentaires. Exigeante et raffinée, elle attend de la variété, de la qualité de la part des marchands. Ici plus qu'ailleurs on soigne la présentation, on offre du choix : tout doit être bon, et beau en prime. Des fleurs de courgette, du foie gras de haute qualité, des fleurs surprenantes, des fruits et des légumes exotiques, des oursins, des cèpes, des volailles raffinées : on vient chercher ici ce qui est rare, donc parfois (un peu) cher. Ne sont pourtant pas exclus la bonne humeur et la convivialité, c'est un marché qui vit, qui bouge... Ne manquez pas le stand d'Annie Boulanger, dont les plats cuisinés font merveille (quiches, tartes, poivrons marinés, sardines grillées...) et dont certains sont préparés sur place. Ambiance garantie ! Et passez donc voir Georges Capitano, l'excellent traiteur italien dont le sourire et la gentillesse n'ont d'égale que ses ravioli frais : de pures merveilles ! Une charcutière hors pair, Ginette, vous fera découvrir quelques-unes de ses spécialités, réservée à une clientèle des plus exigeantes : jambons faits maison, boudins, pâtés savoureux et saucisses goûteuses.

Marché Barbès

Boulevard de La Chapelle, face à l'hôpital Lariboisière, 18e. M° Barbès-Rochechouart. Les mercredis et samedis en matinée.

Le plus multiethnique. Des affaires, il y en ici à tous les étals, et le marchandage est ici monnaie courante. On crie, on s'agite, on hèle le client sans ménagement : tout n'est que mouvement et agitation. La foule est dense, l'ambiance survoltée, et les étals multicolores transportent les clients bien loin de Paris. Ici, vous trouverez tous les fruits et légumes : classiques ou plus exotiques, ils servent à préparer tous les plats de la cuisine tunisienne, marocaine ou algérienne. Les étals d'herbes fraîche ssont toujours un régal pour les yeux : menthe, basilic, coriandre, persil... Des marchands d'épices, de condiments, de légumes secs et de graines complètent le tableau exotique. Attention à bien choisir ses produits : la qualité n'est pas toujours au rendez-vous.

■ Best of des commerces alimentaires de la capitale

■ Fromagers

La Crémerie

49, rue Berger, 1er. Tél. 01 42 36 17 61. M° Les Halles. Ouvert du mardi au vendredi de 8h30 à 13h30 et de 15h30 à 19h, sauf le samedi jusqu'à 18h30.
Pour un **beau plateau** à prix raisonnables.

Fromages... ou desserts

13, rue Rambuteau, 4e. Tél. 01 42 72 73 56. M° Rambuteau. Ouvert du mardi au samedi de 9h à 13h et de 16h à 20h, le dimanche de 9h à 13h.
Fromages fermiers parfaitement affinés.

La Crémerie des Carmes

47, boulevard Saint-Germain, 5e. Tél. 01 43 54 50 93. M° Maubert-Mutualité. Ouvert tous les jours de 8h30 à 13h et de 15h à 19h30.
Bons **chèvres** et large assortiment de spécialités régionales.

Barthélemy

51, rue de Grenelle, 7e. Tél. 01 45 48 56 75. M° Rue-du-Bac. Ouvert du mardi au samedi de 8h à 13h et de 16h à 19h15, fermé le dimanche et le lundi.
La passion du fromage. Une sélection parfaite dont des camemberts divins, des fontainebleaux mythiques, de la crème fermière superbe, un service cordial et... des prix en rapport.

La Ferme Saint-Hubert

21, rue Vignon, 8e. Tél. 01 47 42 79 20. M° Madeleine. Ouvert tous les jours de 8h30 à 19h30, sauf le dimanche.
Des **spécialités fromagères** à déguster sur place : tartiflettes, soufflés au roquefort. Et de quoi emporter chez soi un excellent plateau de fromages, à l'affinage très réussi.

La Maison du fromage – Molard

48, rue des Martyrs, 9e. Tél. 01 45 26 84 88. M° Notre-Dame-de-Lorette. Ouvert du mardi au samedi de 9h à 13h et de 16h à 19h30, le dimanche de 9h à 13h.

Le **camembert au vin blanc** est une des spécialités de ce maître fromager incontesté.

Fromagerie Boursault

71, avenue du Général-Leclerc, 14e. Tél. 01 43 27 93 38. M° Alésia. Ouvert du mardi au samedi de 8h à 12h30 et de 16h15 à 19h15 et le dimanche de 8h30 à 12h30.

C'est dans sa cave – située juste en dessous de la boutique- que Pierre Vernier affine avec talent ses **fromages de montagne**. Une passion qui n'exclut pas d'autres spécialités régionales.

Fromagerie Alain Dubois

80, rue de Tocqueville, 17e. Tél. 01 42 27 11 38. M° Malhesherbes. Ouvert du mardi au vendredi de 8h à 13h et de 16h à 20h, le samedi toute la journée et le dimanche de 9h à 20h. Fermeture annuelle en août.

Des **fromages de chèvre** parfaits et des spécialités régionales et transalpines également mises à l'honneur. Il faut absolument goûter le saint-marcellin !

Alléosse

13, rue Poncelet, 17e. Tél. 01 46 22 50 45. M° Ternes. Ouvert du mardi au samedi de 9h à 13h et de 16h à 19h15 et le dimanche de 9h à 13h.

Faire un choix ? Impossible ici, tout vaut le détour : chèvres, époisses, cantal, camembert… L'affinage est réalisé sur place et donne des produits parfaits. Rien à redire, un incontournable pour qui l'on traverse Paris sans hésiter.

■ Boulangers

Une sélection des boulangers incontournables qui vous permettront d'accompagner dignement les meilleurs fromages : baguettes croustillantes, pains spéciaux…

Boulangerie Julien

75, rue Saint-Honoré, 1er. Tél. 01 42 36 24 83. M° Pont-Neuf, Les Halles. Ouvert tous les jours de 6h30 à 20h sauf le dimanche.

Baguette craquante à mie crémeuse. Jean-Noël Julien a reçu le Premier Prix de la Ville de Paris 1995 pour sa baguette tradition.

Au Levain du Marais

32, Rue de Turenne, 3e. Tél. 01 42 78 07 31. M° Chemin-Vert. Ouvert tous les jours de 7h à 20h sauf le dimanche.

Les **pains spéciaux** au levain sont un régal, et on ne repart pas sans une viennoiserie fondante.

Florence Finkelsztajn

24, rue des Écouffes, 4e. Tél. 01 48 87 92 85. M° Saint-Paul. Ouvert tous les jours de 10h à 13h et de 15h à 19h30 sauf le mercredi.

Toute la **gastronomie yiddish** à portée de palais dans cette boutique classée monument historique. On ne se lasse pas des petits pains au cumin ou au pavot, la baguette est parfaite et l'assortiment de pâtisseries laisse rêveur. Également des spécialités salées d'Europe centrale et de Russie (voir p. 51).

Boulangerie Kayser

8 et 14, rue Monge, 5e. Tél. 01 44 07 31 61 et 01 44 07 01 42. M° Maubert-Mutualité. Ouvert tous les jours de 7h à 20h sauf le mardi.

Incontournable. Une boulangerie et une viennoiserie pour toujours plus de réussite. Le pain bio est un régal, la baguette savoureuse et les pains spéciaux valent le détour. Difficile de choisir parmi tant de qualité !

Maison Chevalier

5, rue Vavin, 6e. Tél. 01 43 25 73 91. M° Notre-Dame-des-Champs. Ouvert du lundi au vendredi de 7h à 20h et le samedi de 7h30 à 19h.

Bonne **baguette à l'ancienne.**

Lionel Poilâne

8, rue du Cherche-Midi, 6e. Tél. 01 45 48 42 59. M° Saint-Sulpice ou Sèvres-Babylone. Ouvert du lundi au samedi de 7h15 à 20h15.
49, boulevard de Grenelle. Tél. 01 45 79 11 49. M° Dupleix. Ouvert du lundi au samedi de 7h15 à 20h.

Célèbre. Deux petites boutiques toujours pleines où l'on vient s'approvisionner en miches, en petits pains spéciaux ou en pâtisseries tout aussi savoureuses.

Jean-Luc Poujauran

20, rue Jean-Nicot, 7e. M° Latour-Maubourg. Tél. 01 47 05 80 88. Ouvert tous les jours de 8h30 à 20h30 sauf les dimanches et lundis. Fermeture annuelle en août.

Hormis sa **boulangerie** exceptionnelle, on succombe aussi à ses pâtisseries qui fondent sous la dent.

Boulangerie des Martyrs

10, rue des Martyrs, 9e. Tél. 01 48 78 20 17. M° Notre-Dame-de-Lorette. Ouvert tous les jours de 6h45 à 20h30 sauf le mardi. Fermeture annuelle de la fin de juin à la fin de juillet.

Tant de **spécialités** réussies font le bonheur des amateurs de bonne boulangerie : pain au levain, flûte paysanne, pain aux cinq céréales.

L'Autre Boulange

43, rue de Montreuil, 11e. Tél. 01 43 72 86 04. M° Rue-des-Boulets. Ouvert tous les jours de 7h30 à 13h30 et de 16h à 19h30 sauf le samedi après-midi et le dimanche. Fermeture annuelle en août.

Des **pains spéciaux** qui rivalisent d'imagination et de saveur : fougasse au lard, ficelle savoyarde, pain de seigle aux figues, ciabatta italienne.

Moisan

5, place d'Aligre, 12e. Tél. 01 43 45 46 60. M° Ledru-Rollin. Ouvert du lundi au vendredi de 7h30 à 13h30 et de 15h à 20h, le samedi de 8h à 20h. Fermé le dimanche après-midi et le lundi.

Bio. Il y a toujours foule ici pour se procurer les meilleurs pains complets, la flûte à l'ancienne, les pains spéciaux au lard, aux noix ou aux noisettes.

Le Moulin de la Vierge

82, rue Daguerre, 14e. Tél. 01 43 22 50 55. M° Denfert-Rochereau.
105, rue Vercingétorix, 14e. Tél. 01 45 43 09 84. M° Plaisance.
77, rue Cambronne, 15e. Tél. 01 44 38 72 00. M° Volontaires.
166, avenue de Suffren, 15e. Tél. 01 44 38 72 10. M° Ségur.
35, rue Violet, 15e. Tél. 01 45 75 85 85. M° Avenue-Émile-Zola.
19, rue de l'Étoile, 17e. Tél. 01 44 09 99 90. M° Charles-de-Gaulle-Étoile.
Ouvert tous les jours de 7h30 à 20h sauf le dimanche.

À l'ancienne. Des belles baguettes croustillantes et des pains spéciaux qui méritent le détour... quand ce n'est pas pour admirer les boutiques refaites à l'ancienne.

Béchu

118, avenue Victor-Hugo, 16e. Tél. 01 47 27 97 79. M° Victor-Hugo ou Rue-de-la-Pompe. Ouvert tous les jours de 7h à 20h30 sauf le lundi.
Tous **très NAP**, les clients viennent nombreux acheter la meilleure baguette du quartier.

Boulangerie alsacienne Raoul Maeder

158, boulevard Berthier, 17e. Tél. 01 46 22 50 73. M° Pereire. Ouvert du lundi au vendredi de 7h à 14h et de 16h à 20h, le samedi de 7h à 13h30 et de 16h à 20h et le dimanche de 7h à 13h30.
Baguette aux céréales hors pair, grand prix de la baguette de la Ville de Paris.

A la Flûte Gana

226, rue des Pyrénées, 20e. Tél. 01 43 58 42 62. M° Gambetta. Ouvert du mardi au samedi de 7h30 à 20h.
Isabelle et Valérie Ganachaud ont repris le flambeau paternel et perpétuent la tradition de la **flûte Gana**, qu'on ne présente plus...

■ Bouchers et volaillers

Toutes les vaches ne sont pas folles. Pour preuve, ces commerces parisiens qui se fournissent chez les meilleurs éleveurs français. À privilégier donc pour des achats en toute sécurité, en toute saveur également. Il n'y a vraiment plus aucune raison de se priver d'une belle côte de bœuf.

Boucherie Barone

6, rue du Marché-Saint-Honoré, 1er. Tél. 01 42 61 01 77. M° Tuileries, Pyramides. Ouvert du mardi au samedi de 9h à 13h et de 16h à 19h30 et le dimanche de 9h à 13h.
Du **bœuf de Coutancie**, tendre et savoureux à souhait, issu d'une méthode inspirée de celle des éleveurs japonais de Kobe : les bêtes sont massées chaque jour et boivent de la bière.

Boucheries de Paris

9, rue du Louvre, 1er. Tél. 01 42 33 71 70. M° Louvre-Rivoli. Ouvert du lundi au vendredi de 8h à 13h et de 16h30 à 19h et le samedi de 8h à 13h.

On trouve ici de l'excellente **viande d'autruche** d'origine française.

Boucherie Jean Gillot

3, rue du Pas-de-la-Mule, 4e. Tél. 01 42 78 25 44. M° Bastille ou Chemin-Vert. Ouvert tous les jours de 6h à 20h sauf le dimanche.

Un **veau de lait** du Rouergue élevé sous la mère, de la viande de Salers, de l'agneau de Lozère : rien que de bonnes sources d'approvisionnement qui garantissent ici la qualité. Également des volailles et un boudin aux oignons à se pâmer.

Gardil

44, rue Saint-Louis- en-l'Île, 4e. Tél. 01 43 54 97 15. M° Pont-Marie. Ouvert du mardi au vendredi de 8h30 à 12h45 et de 16h à 19h45, le samedi de 15h30 à 19h45 et le dimanche de 8h30 à 12h45.

Grand choix. Il est ici périlleux de faire son choix tant on a envie de tout glisser dans son cabas : pièces de bœuf de concours issus des meilleurs élevages régionaux, volailles de Bresse, lapins du Poitou, porc fermier, andouillette de Duval... Également des jambons d'Italie et d'Espagne parmi les meilleurs.

Boucherie de confiance Charcellay

263, rue Saint-Jacques, 5e. Tél. 01 43 26 77 23. M° Port-Royal ou Luxembourg. Ouvert du mardi au samedi de 8h à 13h et de 15h30 à 19h45.

Des viandes issus d'**élevages limousins** et de race salers, toutes alimentées naturellement : une qualité irréprochable, une saveur et une sécurité sans égales.

Boucherie Bajon

29, rue de l'Abbé-Grégoire, 6e. Tél. 01 42 22 58 41. M° Saint-Placide. Ouvert du mardi au samedi de 8h à 13h, et de 16h à 19h30, le dimanche de 8h à 12h30. Fermeture annuelle en août.

Une **très belle sélection** de viande et de volailles, avec en prime un accueil chaleureux dans cette boucherie au décor Belle Époque.

Boucherie de la Fontaine de Mars

112, rue Saint-Dominique, 7e. Tél. 01 47 05 48 29. M° École-Militaire. Ouvert du lundi au samedi de 8h à 13h et de 16h à 20h.
On traverse tout Paris pour son **veau de lait**.

Société Carnar

13, rue de la Comète, 7e. Tél. 01 47 05 96 61. M° La Tour-Maubourg. Ouvert du lundi au vendredi de 9h à 18h.
De la **viande argentine**, peu grasse et bien ferme, que l'on peut se faire livrer à domicile en conditionnement sous vide.

Boucheries nivernaises

99, rue du Faubourg-Saint-Honoré, 8e. Tél. 01 43 59 11 02. M° Champs-Élysées-Clemenceau. Ouvert tous les jours de 7h30 à 13h et de 15h30 à 19h15 et le dimanche de 7h30 à 13h.
S'approvisionnent ici les **grandes tables** parisiennes, c'est tout dire... Reste encore à choisir parmi tant de produits, à la traçabilité sans faille, issus des meilleurs terroirs : veau de Corrèze, agneau de Pauillac, volailles des Landes...

Boucherie de la République

3, rue Beaurepaire, 10e. Tél. 01 42 08 33 47. M° République. Ouvert du mardi au samedi de 7h à 13h et de 16h à 20h.
Pour son **bœuf de Coutancie**.

Boucherie Nouvelle Convention

209, rue de la Convention, 15e. Tél. 01 42 50 59 37. M° Convention. Ouvert de 8h à 12h45 et de 15h30 à 19h45, fermé le lundi toute la journée et le mercredi et dimanche après-midi. Fermeture annuelle en juillet.
Thierry Michaud, élu **Meilleur ouvrier de France** en 1996, non content de se fournir chez les meilleurs éleveurs, prépare aussi sur commande des spécialités de viande.

Boucherie Lamartine

172, avenue Victor-Hugo, 16e. Tél. 01 47 27 82 29. M° Victor-Hugo. Ouvert tous les jours de 8h à 13h et de 15h30 à 20h sauf le dimanche et le lundi. Fermeture annuelle en août.

Une façade classée aux Monuments historiques, qu'on franchit pour s'approvisionner sans crainte en excellentes viandes, charcuteries maison et volailles labellisées. En prime, de solides conseils pour la cuisson des viandes.

Le Lann, maître boucher

242 bis, rue des Pyrénées, 20e. Tél. 01 47 97 12 79. M° Gambetta. Ouvert du mardi au samedi de 8h à 13h et de 15h à 20h, le dimanche de 8h à 13h.
Ne pas rater l'excellent **agneau de pré-salé** du Mont-Saint-Michel ou encore les belles volailles de Bresse, dans une sélection des meilleurs labels français.

Boucherie André

25, avenue Jean-Baptiste-Clément, 92100 Boulogne-Billancourt. Tél. 01 46 05 07 55. M° Boulogne-Jean-Jaurès. Ouvert du mardi au dimanche de 5h à 13h et de 15h15 à 20h.
Un incontournable. Chouchou des grandes tables parisiennes, tout y est de première qualité, goûteux et de traçabilité sans reproche. Les aficionados lève-tôt en ont fait leur fournisseur exclusif.

■ Poissonniers

Pour les amateurs de *sushi* et de *sashimi*, de papillotes savoureuses et de toutes les préparations de la mer : une sélection parisienne du meilleur de la marée.

Poissonnerie Normand

6, rue des Prouvaires, 1er. Tél. 01 45 08 56 98. M° Châtelet ou Les Halles. Ouvert du mardi au samedi matin jusqu'à 12h30, fermé tous les après-midis.
De très bonnes affaires parmi la belle sélection de produits de la mer ultra, ultra-frais.

Soguisa

72, rue Montorgueil, 2e. Tél. 01 42 33 05 16. M° Sentier. Ouvert du mardi au samedi de 8h à 19h30 et le dimanche de 8h à 13h.
Des **poissons parfaits** et un décor qui vaut le détour.

Poissonnerie Lacroix

30, rue Rambuteau, 3e. Tél. 01 42 72 84 07. M° Rambuteau. Ouvert tous les jours de 8h30 à 13h et de 16h à 20h sauf le dimanche après-midi.

Des étals de poissons d'une **fraîcheur irréprochable**, de beaux plateaux de fruits de mer et un choix varié confèrent à ce poissonnier une réputation qui a depuis longtemps franchi les limites de son quartier.

Poissonnerie du Bac

69, rue du Bac, 7e. Tél. 01 45 48 06 64. M° Rue-du-Bac. Ouvert du mardi au samedi de 8h30 à 13h et de 16h à 19h30 et le dimanche de 8h30 à 13h.

Issus de la **pêche artisanale**, les produits de Pierre Duloube sont d'une fraîcheur et d'une qualité incomparables. Un four à vapeur aidera les plus hésitants à cuire sur place leur poisson à la perfection.

La Sablaise

28, rue Cler, 7e. Tél. 01 45 51 61 78. M° Latour-Maubourg. Ouvert du mardi au samedi de 9h à 13h et de 15h30 à 19h et le dimanche de 9h à 13h.

Des produits de **première fraîcheur** que vous ne trouverez nulle part ailleurs : des langoustines crues, des rougets savoureux, des soles extra, un grand choix de coquillages également. Tous les poissons peuvent être préparés en *sushi*, un atout majeur pour les amateurs.

Chronopêche

41, rue des Martyrs, 9e. Tél. 01 48 78 06 64. M° Saint-Georges.
113 bis, rue de la Roquette, 11e. Tél. 01 46 59 38 33. M° Ledru-Rollin.
55, rue de Tocqueville, 17e. Tél. 01 46 22 02 02. M° Malesherbes.
Ouvert du mardi au samedi de 9h à 13h et de 16h à 20h

Le poisson est issu des **criées bretonnes et de la Manche**, le jour même. Fraîcheur et saveur assurées à des tarifs plus qu'abordables.

Poissonnerie du Dôme

4, rue Delambre, 14e. Tél. 01 43 35 23 95. M° Edgar-Quinet. Ouvert du mardi au samedi de 8h à 13h et de 16h à 19h30 et le dimanche de 8h à 13h.

Un choix sans pareil chez ce poissonnier qui fournit de nombreux grands chefs. La décoration, signée Slavik, vaut également le détour.

Daguerre Marée

93, rue Lecourbe, 15e. Tél. 01 40 65 96 96. M° Vaugirard. Ouvert du mardi au samedi de 8h30 à 19h30 et le dimanche de 8h30 à 13h30.

9, rue Daguerre, 14e. Tél. 01 43 22 13 52. M° Denfert-Rochereau. Ouvert du mardi au samedi de 9h à 19h30 et le dimanche de 9h à 13h.

4, rue Bayen, 17e. Tél. 01 43 80 16 29. M° Ternes. Ouvert du mardi au samedi de 8h30 à 19h30 et le dimanche de 8h30 à 13h30

Un choix impressionnant de **poissons d'eau douce et de mer**. Également des crustacés de qualité.

Faire ses courses au grand air

■ La cueillette des fruits et des légumes

Ci-dessous, une petite sélection parmi les fermes qui vous accueillent pour un marché-cueillette :

La Ferme de Compans

23, rue de l'Église, 77290 Compans. Tél. 01 60 26 88 39. Accès par l'A104 direction Soissons, sortie ZI Mitry-Compans. Direction Claye-Souilly puis, dans le village de Compans, direction Thieux. Ouvert d'avril à novembre le lundi de 14h à 19h, du mardi au vendredi de 9h à 12h30 et de 14h à 19h, le week-end et les jours fériés de 14h à 19h. Le parking sur place est gratuit.

Ludique et éducatif. La ferme élève des chèvres, des oies, des poules et des canards, et vend tous ses produits. On y trouve un grand choix de fruits et de légumes, de beaux bouquets d'herbes aromatiques. On appréciera les tableaux explicatifs et tous les conseils donnés pour cueillir ses produits frais sans abîmer la récolte : les plus jeunes y apprendront le respect de la nature.

Les fermes Chapeau de paille

Tél. 01 34 32 19 99 (info cueillette).

Internet : *www.chapeaudepaille.fr*

Ce sont là dix-huit exploitations réunies pour vous proposer des fleurs, des fruits et des légumes à cueillir à la ferme en libre service. Un bon moyen de découvrir en famille ces fermes-cueillettes d'Île-de-France où l'on vient souvent passer une partie de la journée. La visite de ces potagers, de ces vergers et de ces serres remporte un succès grandissant depuis quelques années. En tous les cas, c'est une chouette idée de balade dès l'arrivée des beaux jours, doublée d'une leçon de découverte de la nature et du jardinage pour les enfants…

Faire de la confiture avec des framboises qu'on a cueillies soi-même en famille est un pur plaisir, et une bonne affaire en sus !

La Ferme de Viltain

78350 Jouy-en-Josas. Tél. 01 39 56 38 14. Accès par l'A10, sortie Vauhallan, direction Jouy-en-Josas. Ouvert tous les jours de 9h à 20h.

Cueillette tradition. Dans le cadre d'un monastère du XVIIe siècle, cinquante hectares dédiés à la culture de trente-cinq sortes de fruits et de légumes sont ouverts à la cueillette. Haricots verts, salades, courgettes, tomates, petits pois et cornichons, potimarrons, carottes, oignons… On peut acheter sur place lait, fromage blanc, yaourts, œufs et beaucoup d'autres produits fermiers d'Île-de-France.

La Ferme de Gally ♥

Route de Bailly, 78210 Saint-Cyr-l'École. Tél. 01 39 63 30 90. Accès par la N307, sortie Bailly/Noisy après Versailles, puis direction Saint-Cyr-l'École. Ouvert d'avril à novembre, tous les jours de 8h à 20h.

Internet : *www.gally.com*

Fruits, légumes… et fleurs ! Datant du XIe siècle, et jouxtant le parc du château de Versailles, cette célèbre ferme accueille les visiteurs qui viennent y faire sur près de trente-cinq hectares la cueillette de nombreux fruits rouges, de légumes (pommes de terre, asperges, petits pois, épinards, cornichons, choux, salades, carottes…). Des fraises, des framboises, du cassis, des groseilles, des mûres, des prunes suivant la saison, dont on ne se lasse pas de remplir les seaux mis à disposition par la ferme. Un carré de quatre cents mètres carrés de fleurs comestibles ravira les palais friands de saveurs florales en vogue. Sympathique attention : la ferme dispose d'une cuisine en libre-service mais très conviviale dans laquelle on peut faire sa tambouille de confitures, de gelées et de coulis de fruits.

L'assiette conte fleurette

La cuisine des fleurs ne s'est jamais si bien portée. Délicate ? Produits difficiles à se procurer ? Pas tant que ça, cuistots parisiens. À tous ceux que les fromages de chèvre à la rose, à la pensée, au souci amusent, à tous ceux encore qui ont envie de glisser quelques pétales de fleurs dans leur salade ou de réaliser quelques surprenantes recettes à base de fleurs comestibles, rendez-vous notamment :
*- **À la Grande Épicerie du Bon Marché,** toujours bien fournie en barquettes de fleurs fraîches (rayon fruits et légumes),*
*- **Au marché bio du boulevard Raspail** le dimanche matin,*
*- **Et à la ferme de Gally** pour une cueillette directement au potager.*
Des idées recettes à piocher dans les bibles culinaires du moment :
Alice Caron-Lambert, Le Goût de la rose, éditions du Huitième Jour.
Alice Caron-Lambert et Cooky Debidour, Jardins de fleurs pour les gourmands, photos de Jean-Pierre Dieterlen, éditions du Chêne.

Et sur le Web…

*Servir en dessert un fondant au chocolat aux fleurs de jacinthe est du dernier chic parisien… Soyez-en, amis jardiniers-cuisiniers ! Pour obtenir la recette, connectez-vous sur **www.plantes-et-jardins.com** à la rubrique « Cuisine du jardin », remplie de bonnes et belles idées de cuisine aux fleurs.*

Cueillette de la Croix-Verte

Route de Viarmes, 95570 Attainville. Tél. 01 39 91 05 31. Accès par la N1, sortie La Croix-Verte. Ouvert d'avril à la mi-novembre de 9h à 19h sauf le lundi matin.
Une cueillette à l'atmosphère familiale. Dans cette ferme, qui souhaite rester le plus artisanale possible, une clientèle d'habitués vient chercher ici ses fruits et ses légumes de saison en abondance :

fraises, épinards, melons, framboises, salades, poireaux... qui sont en libre service dans ce potager et verger à 30 km de la capitale. Des points d'eau vous permettent de nettoyer le fruit de votre récolte avant de rentrer chez vous. Également de belles fleurs champêtres originales pour égayer votre petit *home* parisien... Pour terminer les emplettes, on repartira le cabas rempli de quelques fromages de chèvre, de miel, de poulet ou d'œufs de petits producteurs voisins.

■ Faire ses courses à la ferme

Des produits goûteux, savoureux, artisanaux issus des meilleurs petits producteurs, paysans et agriculteurs autour de la capitale attendent par dizaines de remplir votre cabas fermier d'un week-end. Des produits classiques (œufs, lait, fromage, crème, confiture ou jus de pomme), en passant par les produits les plus originaux et les plus créatifs (viande de castor, cressonnières, élevage d'escargots ou d'autruches, friandises aux pétales de rose...), aucun ne manque à l'appel ! Le mode d'emploi : on profite d'un petit rayon de soleil pour s'échapper de la grisaille parisienne, faire quelques kilomètres en auto et s'approvisionner directement chez les producteurs.

Parmi les fermes répertoriées dans le très complet *Guide de la campagne autour de Paris* (Émilie Courtat et Alain Raveneau, aux éditions Parigramme), nous en avons sélectionné quelques-unes, juste histoire de vous mettre en appétit.

Ferme de Mauperthuis

77580 Sancy-lès-Meaux. Tél. 01 60 25 70 59. Accès par l'A4, sortie Crécy-la-Chapelle puis D21. Dépasser le village, puis à droite au rond-point. Ouvert les lundis, mardi et jeudis de 14h à 20h, les vendredis et samedis de 9h à 12h et de 14h à 20h, les dimanches de 9h à 13h. Fermé le mercredi et le dimanche après-midi.

Triple crème. Ici, on trouve du lait, de la crème, des yaourts et des fromages blancs, du fromage triple crème, tous faits maison. Également du brie de Meaux et de Melun, du coulommiers et du fromage de chèvre produits dans des fermes voisines. La charcuterie extra est faite par un charcutier « à façon » avec les porcs élevés à la ferme : boudin, andouillette à l'ancienne, pâté à l'ancienne... Sur commande, on peut également se procurer poulets, lapins, pintades, canes ou oies de la ferme. Œufs, foie gras de Seine-et-Marne, miel, pain d'épices, lentilles de la Brie, poires et légumes d'un maraîcher voisin compléteront s'il le faut votre panier déjà bien rempli.

Ferme de l'Autruche-Rieuse

1, Grande-Rue, 77940 Montmachoux. Tél. 01 60 96 29 49. Accès par l'A6 sortie Fontainebleau, puis direction Sens par la N6. Au Grand-Fossard, prendre direction la Esmans, puis Montmachoux.

Visite tous les dimanche et jours fériés à 15h30, de Pâques à fin septembre, plus les mardis et jeudis en juillet-août. Le magasin est ouvert du mardi au samedi de 14h30 à 19h30 et lors des visites.

En filet, en rôti ou en tournedos, la viande d'autruche est tendre et pauvre en cholestérol. Goûter sans faute les pâtés et les terrines à la surprenante finesse.

Cressonnière de Moigny-sur-École

Moulin du Ruisseau, 91490 Moigny-sur-École. Tél. 01 64 98 07 13. Accès par l'A6, sortie Milly-la-Forêt puis D948. Ouvert tous les jours de 9h à 19h.

Une culture de cresson de source dans un cadre champêtre ravissant. Tous les fans de ce légume vert plein de vitamines seront ravis de venir s'en procurer ici à très bas prix.

Le Potager du Roi

Boutique la Figuerie, 10, rue du Maréchal-Joffre, 78000 Versailles. Tél. 01 39 24 62 62. Ouvert tous les jours d'avril à octobre, de 10h à 18h. Marché toute l'année, les mardis et vendredis de 8h30 à 12h au 4, rue Hardy, à Versailles.

Prestige et tradition. Les jardiniers de la prestigieuse École nationale supérieure d'horticulture entretiennent les cinq mille arbres fruitiers et les centaines de plants de légumes de l'ex-verger du Roi-Soleil, implantés sur près de neuf hectares. Une qualité et un goûts exceptionnels pour ces produits issus du potager de Louis XIV.

Petit manuel pour cordons-bleus

Les meilleures librairies gourmandes

Librairie gourmande

4, rue Dante, 5e. Tél. 01 43 54 37 27. M° Maubert-Mutualité, Cluny.
Ouvert du lundi au samedi de 10h à 19h.
Internet : *www.librairie-gourmande.fr*

Saveurs et bibliographie. Gastronomie française et étrangère, œnologie, livres anciens et modernes : tel est le fastueux programme de cette librairie qui nous met l'eau à la bouche... Vous y trouverez tous les best-sellers culinaires du moment, tous les ouvrages indispensables à votre bibliothèque. une sélection consultable ou à commander sur le site internet.

Rémi Flachard

9, rue du Bac, 7e. M° Rue du Bac. Tél. 01 42 86 86 87. Ouvert du lundi au vendredi de 10h30 à 12h30 et de 14h30 à 18h30. Fermeture en août.

Incunables gourmands. Cette librairie est spécialisée en gastronomie et en œnologie, du XVe siècle à nos jours. Un lieu idéal donc pour dénicher une vieille édition épuisée ou découvrir quelques exemplaires de recueils culinaires anciens... de quoi apporter une touche nostalgique à la préparation de recettes actuelles.

Pour les surfeurs gourmands

Les sites de recettes culinaires foisonnent sur le Web, pour le plus grand plaisir des gastronautes. On y fait facilement des recherches : par thèmes, par ingrédients, par plat... Vous n'aurez plus aucune excuse désormais pour mitonner de bons petits plats chez vous. Visite guidée des meilleurs sites de recettes.

www.isaveurs.com

« Donnez du goût à vos repas en deux coups de cuillère à pot » : un site qui se définit comme un assistant culinaire et propose plein de recettes savoureuses, de l'entrée au dessert, sans oublier les occasions spéciales et les menus de fêtes... En guest-star bien astucieuse, on retrouve sur le site Laurence Guarneri, notre prof de cuisine préférée d'Astuces et Tours de main (voir le chapitre « Les cours de cuisine à Paris »), pour des leçons de cuisine online.

www.marmiton.org

Des sélections gourmandes vous aident à faire votre choix : recettes de saison, indiennes, fromagères, enfants, light, fauchées, buffet... et même une sélection pour citadin stressé : les recettes rapides-et-pas-trop-dures. Petite astuce bien utile : inscrivez-vous à la cooking list et recevez tous les jours dans votre boîte e-mail une idée de recette. Malin pour rester créatif, non ?

www.meilleurduchef.com

Avec les recettes illustrées et filmées du mois, plus question de rater le riz au lait, la poire Belle Hélène, le carré d'agneau persillé, le homard thermidor ni les croquettes de saumon... pour ne citer qu'eux ! Prenez le temps aussi de découvrir tous les trucs et astuces des grands chefs et les termes culinaires pour mieux comprendre les recettes

www.elle.fr

Les fiches cuisine du magazine sont en ligne : des recettes simples, des associations savoureuses pour toujours plus de créativité.

■ Les sites les plus toqués

Une belle vitrine pour les toques étoilées dont certaines y vendent du bon, du beau... et parfois du pas donné. Pour les plaisir des yeux, au moins, qu'on fait suivre par celui des papilles si affinités. Petite visite guidée des cyber-grandes maisons gastronomiques :

www.bernard-loiseau.com
Une boutique en ligne, avec de l'épicerie fine, des vins, une librairie... Pas de recettes en ligne, dommage !

www.ducasse-online.com
Une épicerie aux produits rigoureusement sélectionnés par Ducasse himself, de la gastronomie, des douceurs, du vin... Des recettes (pour amateurs éclairés, certes) complètent le site.

http://www.marcveyrat.fr
Le site est une invitation à découvrir les arômes des prairies et des sous-bois. Le chef savoyard ne manque pas de vous faire partager sa passion pour les herbes et pour la cuisine. Quelques recettes en prime.

http://www.bocuse.fr
Hormis toutes les infos pour se rendre à ses nombreuses maisons gastronomiques, Paul Bocuse livre online ses meilleures recettes. Une boutique également, avec les produits Paul Bocuse.

http://www.troisgros.fr ♥
Un très beau site, des belles illustrations... et des recettes savoureuses à réaliser chez soi.

Pour vos futurs petits-enfants
Les plus beaux cahiers de cuisine pour consigner ses recettes sont chez...
Marie Papier
26, rue Vavin, 6e. Tél. 01 43 26 46 44. M° Vavin.
Ouvert du lundi au samedi de 10h à 19h.

Index